fy nodiadau **adolygu**

CBAC TGAU

# CANLLAW ADOLYGU MATHEMATEG

## SYLFAENOL

Gareth Cole
Karen Hughes
Linda Mason
Joe Petran
Keith Pledger

HODDER EDUCATION
AN HACHETTE UK COMPANY

*CBAC TGAU Canllaw Adolygu Mathemateg Sylfaenol*

Addasiad Cymraeg o *WJEC GCSE Mathematics Revision Guide Foundation* a gyhoeddwyd yn 2016 gan Hodder Education

**Cyhoeddwyd dan nawdd Cynllun Adnoddau Addysgu a Dysgu CBAC**

Mae'r deunydd hwn wedi'i gymeradwyo gan CBAC ac mae'n cynnig cefnogaeth ar gyfer cymwysterau CBAC. Er bod y deunydd wedi bod trwy broses sicrhau ansawdd CBAC, mae'r cyhoeddwr yn dal yn llwyr gyfrifol am y cynnwys.

**Cydnabyddiaethau**
Gwnaed pob ymdrech i olrhain pob deiliad hawlfraint, ond os oes unrhyw rai wedi'u hesgeuluso'n anfwriadol bydd y Cyhoeddwr yn barod i wneud y trefniadau angenrheidiol ar y cyfle cyntaf.

Ymdrechwyd i sicrhau bod cyfeiriadau gwefannau yn gywir adeg mynd i'r wasg, ond ni ellir dal Hodder Education yn gyfrifol am gynnwys unrhyw wefan a grybwyllir yn y llyfr hwn. Mae weithiau yn bosibl dod o hyd i dudalen we a adleolwyd trwy deipio cyfeiriad tudalen gartref gwefan yn ffenestr LlAU (*URL*) eich porwr.

Polisi'r cyhoeddwr yw defnyddio papurau sy'n gynhyrchion naturiol, adnewyddadwy ac ailgylchadwy o goed a dyfwyd mewn coedwigoedd cynaliadwy. Disgwylir i'r prosesau torri coed a chynhyrchu papur gydymffurfio â rheoliadau amgylcheddol y wlad y mae'r cynnyrch yn tarddu ohoni.

**Archebion**
Bookpoint Ltd, 130 Park Drive, Milton Park, Abingdon, Oxon OX14 4SE.
Ffôn: (44) 01235 827720
Ffacs: (44) 01235 400454
E-bost: education@bookpoint.co.uk
Mae'r llinellau ar agor 9.00 a.m.–5.00 p.m., o ddydd Llun i ddydd Sadwrn, ac mae gwasanaeth ateb negeseuon 24 awr. Gallwch hefyd archebu drwy ein gwefan: www.hoddereducation.co.uk

ISBN: 978-1-510-43477-6



Cyhoeddwyd gyntaf yn 2016 gan

Hodder Education
An Hachette UK Company
Carmelite House
50 Victoria Embankment
London EC4Y 0DZ

www.hoddereducation.co.uk

Rhif yr argraffiad 10 9 8 7 6 5 4 3 2 1

Blwyddyn 2021 2020 2019 2018



Cysodwyd gan Integra Software Services Pvt. Ltd., Pondicherry, India
'Argraffwyd yn Sbaen

Mae cofnod catalog ar gyfer y teitl hwn ar gael gan y Llyfrgell Brydeinig.

# Gwneud y gorau o'r llyfr hwn

Croeso i'ch Canllaw Adolygu ar gyfer cwrs TGAU Mathemateg Sylfaenol CBAC. Bydd y llyfr hwn yn rhoi crynodeb cadarn i chi o'r wybodaeth a'r sgiliau bydd disgwyl i chi eu dangos yn yr arholiadau, ynghyd ag awgrymiadau a thechnegau ychwanegol ar bob tudalen. Drwy'r llyfr cyfan, byddwch hefyd yn gweld llawer o gymorth ychwanegol i sicrhau y byddwch chi'n teimlo'n hyderus ac yn hollol barod ar gyfer eich arholiadau TGAU Mathemateg Sylfaenol.

Mae'r Canllaw Adolygu hwn wedi'i rannu'n bedair prif adran, gyda chymorth ychwanegol yn rhan olaf y llyfr. Mae'r pedair prif adran yn ymdrin â'r pedair thema fathemategol fydd yn cael eu cynnwys yn eich cwrs ac yn cael eu harholi: Rhif, Algebra, Geometreg a Mesurau ac Ystadegaeth a Thebygolrwydd.

# Nodweddion i'ch helpu chi i lwyddo

Mae pob thema wedi'i rhannu'n destunau un-dudalen fel sydd i'w weld yn yr enghraifft hon:

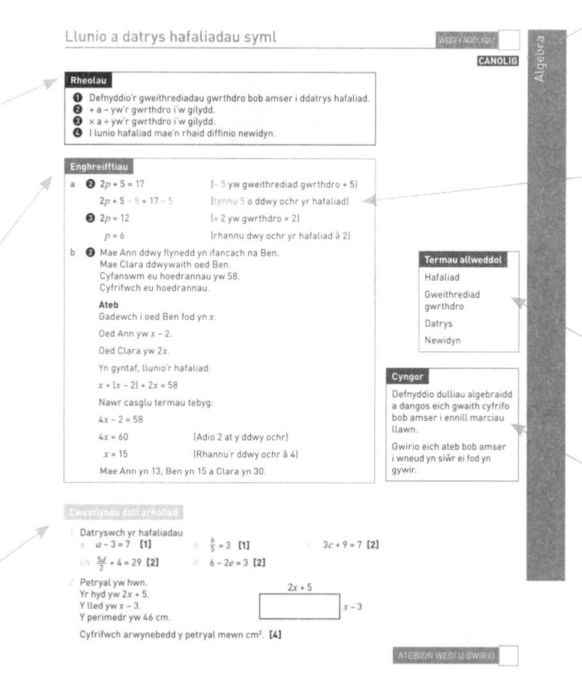

Llunio a datrys hafaliadau syml

WEDI'I ADOLYGU

CANOLIG

Algebra

**Rheolau**

1. Defnyddio'r gweithrediadau gwrthdro bob amser i ddatrys hafaliad.
2. + a – yw'r gwrthdro i'w gilydd.
3. × a ÷ yw'r gwrthdro i'w gilydd.
4. I lunio hafaliad mae'n rhaid diffinio newidyn.

**Enghreifftiau**

a ❷ $2p + 5 = 17$ (– 5 yw gweithrediad gwrthdro + 5)

$2p + 5 - 5 = 17 - 5$ (tynnu 5 o ddwy ochr yr hafaliad)

❸ $2p = 12$ (÷ 2 yw gwrthdro × 2)

$p = 6$ (rhannu dwy ochr yr hafaliad â 2)

b ❷ Mae Ann ddwy flynedd yn ifancach na Ben.
Mae Clara ddwywaith oed Ben.
Cyfanswm eu hoedrannau yw 58.
Cyfrifwch eu hoedrannau.

**Ateb**

Gadewch i oed Ben fod yn $x$.

Oed Ann yw $x - 2$.

Oed Clara yw $2x$.

Yn gyntaf, llunio'r hafaliad:

$x + (x - 2) + 2x = 58$

Nawr casglu termau tebyg:

$4x - 2 = 58$

$4x = 60$ (Adio 2 at y ddwy ochr)

$x = 15$ (Rhannu'r ddwy ochr â 4)

Mae Ann yn 13, Ben yn 15 a Clara yn 30.

**Termau allweddol**

Hafaliad

Gweithrediad gwrthdro

Datrys

Newidyn

**Cyngor**

Defnyddio dulliau algebraidd a dangos eich gwaith cyfrifo bob amser i ennill marciau llawn.

Gwirio eich ateb bob amser i wneud yn siŵr ei fod yn gywir.

**Cwestiynau dull arholiad**

1 Datryswch yr hafaliadau

a $a - 3 = 7$ **[1]** b $\frac{b}{5} = 3$ **[1]** c $3c + 9 = 7$ **[2]**

ch $\frac{5d}{2} + 4 = 29$ **[2]** d $6 - 2e = 3$ **[2]**

2 Petryal yw hwn.
Yr hyd yw $2x + 5$.
Y lled yw $x - 3$.
Y perimedr yw 46 cm.



Cyfrifwch arwynebedd y petryal mewn cm². **[4]**

ATEBION WEDI'U GWIRIO

Algebra 21

Mae'r wybodaeth byddwch chi wedi'i dysgu yn ystod eich cwrs yn cael ei lleihau i'r rheolau allweddol ar gyfer y maes testun hwn. Bydd angen i chi ddeall a chofio'r rhain ar gyfer eich arholiad.

Rydyn ni'n rhoi enghreifftiau i'ch atgoffa chi sut mae'r rheolau'n gweithio. Rydyn ni wedi amlygu pob rheol gyferbyn â lle mae'n cael ei defnyddio.

Mae cwestiynau dull arholiad yn darparu ymarfer go iawn ar y maes testun. Mae'r marciau sy'n cael eu rhoi wedi'u nodi fel y gallwch chi weld y lefel o ateb sy'n ofynnol.

Mae lefel o anhawster wedi'i nodi ar bob tudalen fel y gallwch chi ddeall lefel yr her – isel, canolig, uchel.

Rydyn ni wedi amlygu meysydd lle mae gwallau cyffredin yn aml yn cael eu gwneud er mwyn eich helpu chi i osgoi gwneud camgymeriadau tebyg.

Dyma'r termau y bydd angen i chi eu cofio ar gyfer y testun hwn.

Bydd y blychau Cyngor yn awgrymu beth i'w gofio neu sut i ymdrin â chwestiwn arholiad.

Mae pob adran hefyd yn cynnwys y canlynol:

### Gwiriad cyn adolygu

Mae pob adran yn dechrau gyda phrawf o gwestiynau sy'n ymdrin â phob testun o fewn y thema honno. Dyma fan cychwyn defnyddiol er mwyn gweld a oes unrhyw feysydd y gall fod angen i chi roi sylw arbennig iddyn nhw wrth adolygu. I'w gwneud yn haws, rydyn ni wedi nodi'r dudalen berthnasol ar gyfer pob testun gyferbyn â phob cwestiwn.

### Profion cwestiynau dull arholiad

Dwy set o brofion yw'r rhain sy'n rhoi cyfle i chi ymarfer cwestiynau dull arholiad i'ch helpu chi i wirio eich cynnydd wrth i chi fynd ymlaen. Mae'r rhain i'w gweld yng nghanol pob thema ac ar ddiwedd pob thema. Mae'r **Atebion** i'r profion hyn yn rhan olaf y llyfr.

Yn rhan olaf y llyfr, byddwch hefyd yn gweld gwybodaeth ddefnyddiol iawn sydd wedi'i darparu gan ein harbenigwyr asesu:

### Yr iaith sy'n cael ei defnyddio mewn arholiadau mathemateg

Mae'r dudalen hon yn esbonio'r geiriad fydd yn cael ei ddefnyddio yn yr arholiad er mwyn eich helpu chi i ddeall beth sy'n cael ei ofyn. Hefyd mae awgrymiadau ychwanegol i'ch atgoffa chi sut orau i gyflwyno eich atebion.

### Techneg arholiad a fformiwlâu fydd yn cael eu rhoi

Rhestr o gyngor defnyddiol ar gyfer cyn ac yn ystod yr arholiadau.

### Meysydd cyffredin lle mae myfyrwyr yn gwneud camgymeriadau

Bydd y tudalennau hyn yn eich helpu chi i ddeall ac osgoi y camsyniadau cyffredin mae dysgwyr wedi'u gwneud mewn arholiadau yn y gorffennol, gan sicrhau na fyddwch chi'n colli marciau pwysig.

### Wythnos i fynd...

Pethau i'ch atgoffa a fformiwlâu.

## Ticio i dracio eich cynnydd

Defnyddiwch y rhestr wirio adolygu ar dudalennau v–vii i gynllunio eich adolygu, fesul testun. Ticiwch bob blwch pan fyddwch chi wedi:

- gweithio drwy'r gwiriad cyn adolygu
- adolygu'r testun
- gwirio eich atebion ac yn barod ar gyfer yr arholiad.

Gallwch chi hefyd gadw trefn ar eich adolygu drwy roi tic wrth ymyl penawdau pob testun drwy'r llyfr. Efallai bydd yn ddefnyddiol i chi wneud eich nodiadau eich hun wrth i chi weithio drwy bob testun.

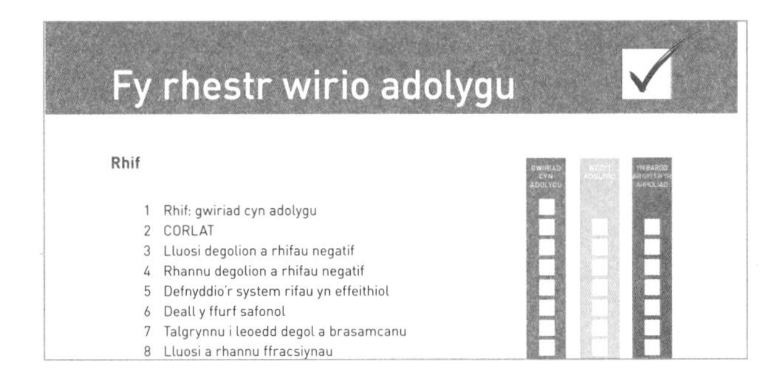


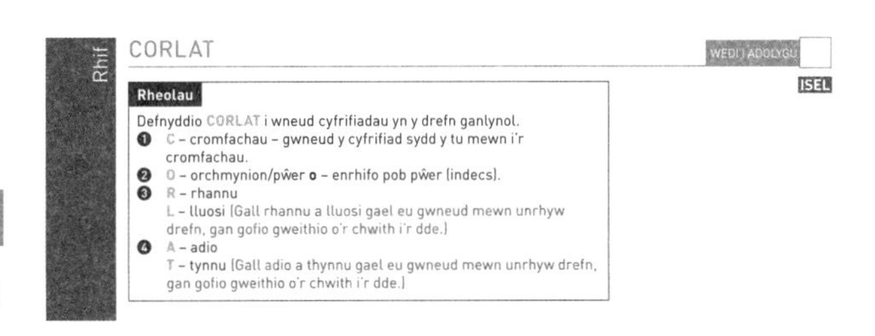

# Fy rhestr wirio adolygu

## Rhif

1 Rhif: gwiriad cyn adolygu
2 CORLAT
3 Lluosi degolion a rhifau negatif
4 Rhannu degolion a rhifau negatif
5 Defnyddio'r system rifau yn effeithiol
6 Deall y ffurf safonol
7 Talgrynnu i leoedd degol a brasamcanu
8 Lluosi a rhannu ffracsiynau
9 Adio a thynnu ffracsiynau a gweithio gyda rhifau cymysg
10 Trawsnewid ffracsiynau a degolion yn ganrannau ac o ganrannau
11 Cyfrifo canrannau a chymhwyso cynnydd a gostyngiad canrannol at symiau
12 Darganfod y newid canrannol rhwng un swm a swm arall
13 Cwestiynau dull arholiad cymysg
14 Rhannu yn ôl cymhareb benodol
15 Gweithio gyda meintiau cyfrannol
16 Nodiant indecs a rheolau indecsau
17 Ffactorio rhifau cysefin
18 Cwestiynau dull arholiad cymysg

## Algebra

19 Algebra: gwiriad cyn adolygu
20 Gweithio gyda fformiwlâu
21 Llunio a datrys hafaliadau syml
22 Defnyddio cromfachau
23 Hafaliadau mwy cymhleth a datrys hafaliadau gyda'r anhysbysyn ar y ddwy ochr
24 Datrys hafaliadau sydd â chromfachau
25 Dilyniannau llinol
26 Cwestiynau dull arholiad cymysg
27 Plotio graffiau ffwythiannau llinol
29 Graffiau bywyd go iawn
30 Cwestiynau dull arholiad cymysg

## Geometreg a Mesurau



GWIRIAD CYN ADOLYGU | WEDI'I ADOLYGU | YN BAROD AR GYFER YR ARHOLIAD

## Ystadegaeth a Thebygolrwydd



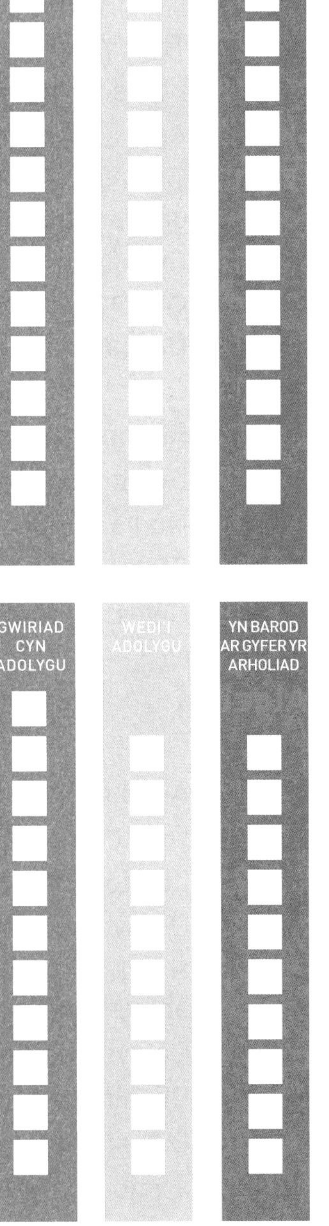

## Paratoi ar gyfer yr arholiad



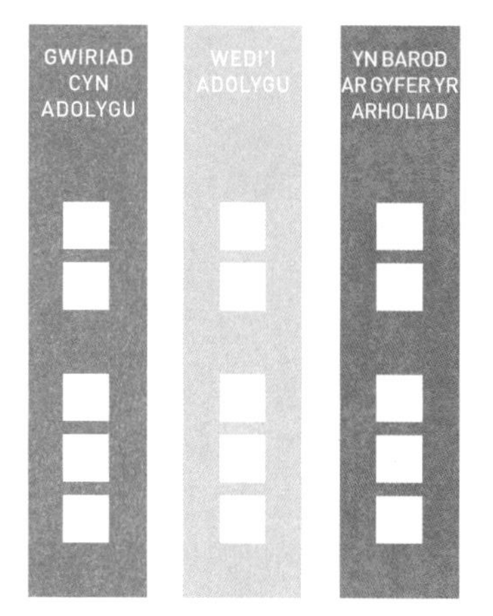

# Rhif: gwiriad cyn adolygu

Gwiriwch pa mor dda rydych chi'n gwybod pob testun drwy ateb y cwestiynau hyn. Os cewch chi gwestiwn yn anghywir, ewch i'r dudalen sydd â'i rhif mewn cromfachau i adolygu'r testun hwnnw.

**1** Cyfrifwch
- **a** $5 + 7 \div 2$
- **b** $2 \times 3^2$
- **c** $\frac{16 - 4.1}{2.6 + 5.9}$ (tudalen 2)

**2** Cyfrifwch
- **a** $3.174 \times 8$
- **b** $12.6 \times 4.5$ (tudalen 3)

**3** Cyfrifwch
- **a** $10.44 \div 0.4$
- **b** $42.208 \div 1.6$ (tudalen 4)

**4** Cyfrifwch
- **a** $1.8 \times 0.01$
- **b** $12.45 \div 0.1$
- **c** $254.9 \times 1000$
- **ch** $0.00487 \div 0.0001$ (tudalen 5)

**5 a** Ysgrifennwch 0.00572 yn y ffurf safonol.
**b** Ysgrifennwch $3.184 \times 10^4$ fel rhif cyffredin. (tudalen 6)

**6** Ysgrifennwch 16.3548 yn gywir i
- **a** 1 lle degol
- **b** 2 le degol
- **c** 3 lle degol. (tudalen 7)

**7** Ysgrifennwch amcangyfrif ar gyfer gwerth
- **a** 3201
- **b** 0.0029 (tudalen 7)

**8** Cyfrifwch
- **a** $\frac{4}{9} \times \frac{5}{8}$
- **b** $\frac{1}{3} \times \frac{4}{11} \times \frac{9}{20}$
- **c** $6 \div \frac{2}{3}$
- **ch** $\frac{15}{42} \div \frac{5}{7}$ (tudalen 8)

**9** Cyfrifwch
- **a** $\frac{7}{12} - \frac{2}{5}$
- **b** $3 + \frac{3}{4} - \frac{1}{3}$
- **c** $10\frac{2}{3} + 7\frac{3}{5}$
- **ch** $3\frac{4}{7} \times 2\frac{4}{5}$
- **d** $2\frac{1}{10} \div 1\frac{3}{4}$ (tudalen 9)

**10 a** Trawsnewidiwch yn ganran
- **i** $\frac{11}{20}$
- **ii** 1.9

**b** Trawsnewidiwch 6% yn
- **i** ffracsiwn
- **ii** degolyn. (tudalen 10)

**11 a** Cynyddwch £12.50 gan 4%.
**b** Gostyngwch 550 m gan 32%. (tudalen 11)

**12 a** Cyfrifwch 20 cm fel canran o 2.5 m.
**b** Mae rhywun yn prynu cloc am £72 ac yn ei werthu am £54. Beth yw'r golled ganrannol? (tudalen 12)

**13 a** Rhannwch 280 m yn ôl y gymhareb 3 : 5.
**b** Mae Alfie, Bernice a Charlie yn rhannu swm o arian yn ôl y gymhareb 1 : 3 : 5. Pa ffracsiwn o'r arian mae Charlie yn ei gael? (tudalen 14)

**14** Cyfanswm pwysau 5 sffêr unfath yw 1.235 kg. Darganfyddwch beth yw cyfanswm pwysau wyth o'r sfferau hyn. (tudalen 15)

**15** Ysgrifennwch bob un o'r canlynol fel pŵer o 3
- **a** $(3^4 \times 3^3) \div 3^2$
- **b** $3^8 \div (3^2 \times 3)$
- **c** $(3^5 \times 3^4)^2$ (tudalen 16)

**16** Ysgrifennwch 1260 fel lluoswm ei ffactorau cysefin. (tudalen 17)

# CORLAT

WEDI'I ADOLYGU

ISEL

## Rheolau

Defnyddio CORLAT i wneud cyfrifiadau yn y drefn ganlynol.

1. C – cromfachau – gwneud y cyfrifiad sydd y tu mewn i'r cromfachau.
2. O – orchmynion/pŵer **o** – enrhifo pob pŵer (indecs).
3. R – rhannu
   L – lluosi (Gall rhannu a lluosi gael eu gwneud mewn unrhyw drefn, gan gofio gweithio o'r chwith i'r dde.)
4. A – adio
   T – tynnu (Gall adio a thynnu gael eu gwneud mewn unrhyw drefn, gan gofio gweithio o'r chwith i'r dde.)

## Enghreifftiau

**a** Cyfrifwch $2^4 \times 10 + (15 - 7) \div 4$

**Ateb**

1. $= 2^4 \times 10 + \mathbf{8} \div 4$ $(15 - 7 = \mathbf{8})$
2. $= \mathbf{16} \times 10 + 8 \div 4$ $(2^4 = \mathbf{16})$
3. $= \mathbf{160} + \mathbf{2}$ $(16 \times 10 = \mathbf{160}$ ac $8 \div 4 = \mathbf{2})$
4. $= 160 + 2 = 162$

**b** Defnyddiwch eich cyfrifiannell i gyfrifo $\frac{5.63 + 12.17}{19.26 - 4.9}$

**Ateb**

$\frac{5.63 + 12.17}{19.26 - 4.9} = \frac{17.8}{14.36}$

$= 1.239$

(17.8 yw gwerth y rhifiadur)
(14.36 yw gwerth yr enwadur)

### Termau allweddol

Cromfachau

Indecsau

Gweithrediad

### Cyngor

Cyfrifo gwerth y rhifiadur a'r enwadur yn gyntaf.

## Cwestiynau dull arholiad

1. a Cyfrifwch $12 - 4 \times 2$ **[1]**
   b Rhowch gromfachau, lle mae'n briodol, i wneud y gosodiad hwn yn gywir. $3 + 9 - 5 \times 2 = 11$ **[1]**
2. Dyma 5 symbol gwahanol ÷ ( + − )
   Defnyddiwch bob symbol unwaith yn unig i wneud y gosodiad hwn yn gywir.
   7 10 3 2 = 5 **[2]**
3. Defnyddiwch eich cyfrifiannell i gyfrifo $\frac{1.5^2 + 3.6}{7.4 - \sqrt{1.44}}$ **[2]**

### Cyngor

Gwirio drwy ddefnyddio rheolau CORLAT.

ATEBION WEDI'U GWIRIO

# Lluosi degolion a rhifau negatif

WEDI'I ADOLYGU

CANOLIG

**Rheolau**

1. I ddechrau unrhyw waith cyfrifo, yn gyntaf anwybyddu'r pwyntiau degol.
2. Lluosi rhifau cyfan drwy'r dull sydd orau gennych.
3. Gwneud yn siŵr bod y pwynt degol yn eich ateb yn y lle cywir.
4. Negatif × negatif = positif a positif × negatif = negatif.

**Enghreifftiau**

a Pwysau un metr o bren yw 3.56 kg.

Cyfrifwch beth yw pwysau 0.6 metr o'r pren hwn.

**Ateb**

1. Anwybyddu'r pwyntiau degol a chyfrifo 356 × 6

2.
```
  3 5 6
 ×    6
2 1 3 6
   3 3
```

3. 3.56 × 0.6 = 2.136 kg

2 le degol + 1 lle degol = 3 lle degol

b Cyfrifwch 15.3 × 1.9

**Ateb**

1. Anwybyddu'r pwyntiau degol a chyfrifo 153 × 19

2.

| | 100 | 50 | 3 | |
|---|---|---|---|---|
| 10 | 1000 | 500 | 30 | Mae adio'n rhoi 1530 |
| 9 | 900 | 450 | 27 | Mae adio'n rhoi 1377 + |
| | | | | 2907 |

3. 15.3 × 1.9 = 29.07 (gan fod yr ateb tua 30)

c Cyfrifwch − 2 × −3 + 4 × −8

**Ateb**

4. −2 × −3 = (+)6

4. 4 × −8 = −32

felly (+)6 + −32 = −26

**Termau allweddol**

Pwynt degol

Lleoedd degol

**Cyngor**

Cyfrifo amcangyfrif.

Mae 15.3 tua 15

Mae 1.9 tua 2

15 × 2 = 30;

felly bydd yr ateb tua 30

**Cwestiynau dull arholiad**

1 Cyfrifwch 439 × 1.4 **[3]**

2 Mae Jermaine eisiau prynu 120 o rosynnau mor rhad â phosibl. Mae siop A yn gwerthu 10 rhosyn am £5.36. Mae siop B yn gwerthu 6 rhosyn am £3.24.

Ym mha siop dylai Jermaine brynu'r 120 o rosynnau? **[4]**

3 Y darlleniadau trydan ar ddechrau a diwedd cyfnod o 3 mis oedd 502.7 kWh a 547.3 kWh. Mae trydan yn costio 23.5 c/kWh. Cyfrifwch beth yw cyfanswm cost y trydan wedi'i ddefnyddio yn ystod y cyfnod hwn o 3 mis. **[4]**

4 Cyfrifwch (−5 × 2) + (−3 × −4).

**Cyngor**

Labelu'n glir eich gwaith cyfrifo ar gyfer siop A neu siop B. Ysgrifennu eich ateb terfynol mewn brawddeg, gan ddangos yn glir costau'r ddau gyfanswm **neu**'r gost am bob rhosyn o siop A a siop B.

ATEBION WEDI'U GWIRIO

# Rhannu degolion a rhifau negatif

WEDI'I ADOLYGU ☐

**CANOLIG**

## Rheolau

1. Ad-drefnu'r cyfrifiad fel y byddwch chi'n rhannu â rhif cyfan.
2. Gwneud y rhannu â'r rhif cyfan drwy'r dull sydd orau gennych.
3. I gael mwy o lleoedd degol yn eich ateb, ychwanegu seroau at y rhif degol rydych yn ei rannu.
4. Negatif ÷ negatif = positif. Negatif ÷ positif = negatif.

## Enghreifftiau

**a** Arwynebedd petryal yw 4.252 metr sgwâr.

Cyfrifwch hyd y petryal os yw'r lled yn 0.8 metr.

**Ateb**

$4.252 \times 10 = \mathbf{42.52}$

a $0.8 \times 10 = \mathbf{8}$

❶ felly mae $4.252 \div 0.8$ yr un peth â $\mathbf{42.52 \div 8}$

❷
```
    5. 3 1 5
  ┌─────────
8 │4 2. 5 2 0
     (2  1 4)
```

Ychwanegu 0 at y gweddill 4 ac yna rhannu 40 ag 8

felly hyd = 5.315 metr

**b** Cyfrifwch $146.4 \div 0.16$

**Ateb**

❶ Mae $146.4 \div 0.16$ yr un peth ag $\mathbf{14640 \div 16}$

❷
```
      91.5
16 │14640
   - 144
      24
    - 16
      80
    - 80
       0
```

$1 \times 16 = 16$
$2 \times 16 = 32$
$3 \times 16 = 48$
$4 \times 16 = 64$
$5 \times 16 = 80$
$6 \times 16 = 96$
$7 \times 16 = 112$
$8 \times 16 = 128$
$9 \times 16 = 144$

**c** Cyfrifwch $(16 \times -2) + (-15 \times -3)$.

**Ateb**

❹ $-8 \div -2 = 4$ a $-6 \div 3 = -2$

felly $4 + -2 = 2$

### Cyngor

Lluosi pob rhif yn yr achos hwn â 10, fel y byddwch chi'n rhannu â rhifau cyfan.

### Termau allweddol

Pwynt degol

Lleoedd degol

### Cyngor

(I helpu gyda rhannu hir)

Ysgrifennu 9 lluosrif cyntaf y rhif rydych yn rhannu ag ef (16 yn yr enghraifft hon).

## Cwestiynau dull arholiad

1. Mae 5 beiro unfath yn costio £39.60
   Cyfrifwch beth yw cost un beiro. **[2]**
2. Hyd rhaff yw 5.32 metr.
   Faint o ddarnau 0.8 metr sy'n gallu cael eu torri o'r rhaff hon? **[2]**
3. Mae Jane yn prynu car.
   Mae hi'n cytuno i dalu blaendal o £1500 a 36 rhandaliad misol hafal.
   Y cyfanswm bydd hi'n ei dalu fydd £10 629.60
   Cyfrifwch beth yw cost pob rhandal misol. **[4]**
4. Cyfrifwch $(16 \div -2) + (-15 \div -3)$.

### Cyngor

Gosod eich gwaith allan yn glir.

Gwirio bod eich atebion yn realistig.

ATEBION WEDI'U GWIRIO ☐

## Defnyddio'r system rifau yn effeithiol

WEDI'I ADOLYGU ☐

CANOLIG



**Rheolau**

Er mwyn i werth lle pob digid fod yn gywir:

1. Wrth luosi â 0.1 neu 0.01 neu 0.001, etc. symud y pwynt degol 1, 2 neu 3 lle, etc. i'r CHWITH. Mae hyn yr un peth â rhannu â 10 neu 100 neu 1000, etc. Bydd yr ateb yn **llai** o ran gwerth.
2. Wrth rannu â 0.1 neu 0.01 neu 0.001, etc. symud y pwynt degol 1, 2 neu 3 lle, etc. i'r DDE. Mae hyn yr un peth â lluosi â 10 neu 100 neu 1000, etc. Bydd yr ateb yn **fwy** o ran gwerth.

**Enghreifftiau**

**a** Cyfrifwch

i $34.29 \times 0.1$

ii $34.29 \div 0.1$

iii $34.29 \times 1000$

iv $34.29 \div 0.0001$

**Atebion**

❶ i $34.29 \times 0.1 = 3.429$ ← un lle i'r chwith

❷ ii $34.29 \div 0.1 = 342.9$ → un lle i'r dde

❶ iii $34.29 \times 1000 = 34290$ ← tri lle i'r dde (rydyn ni wedi ychwanegu 0 at 34.29)

❷ iv $34.29 \div 0.0001 = 342\,900$ → pedwar lle i'r dde (rydyn ni wedi ychwanegu dau 0 at 34.29)

**b** O wybod bod $52.4 \times 3.75 = 196.5$, cyfrifwch

i $5.24 \times 0.375$

ii $19.65 \div 0.524$

**Atebion**

❶ $5.24 = 52.4 \div 10$ (neu $\times 0.1$)

$0.375 = 3.75 \div 10$ (neu $\times 0.1$)

Felly $5.24 \times 0.375 = 196.5 \div 10 \div 10$

$= 1.965$

❶ $19.65 = 196.5 \div 10$ (neu $\times 0.1$)

$0.524 = 52.4 \div 100$ (neu $\times 0.01$)

Felly $19.65 \div 0.524 = \frac{196.5 \div 10}{52.5 \div 100}$

$= 3.75 \times 10 = 37.5$

**Term allweddol**

Gwerth lle

**Cyngor**

Bydd eich ateb yn cynnwys yr un digidau â'r gwerth yn y cwestiwn, e.e. 1965 yn **bi** a 375 yn **bii**.

**Cwestiynau dull arholiad**

1 Dyma beiriant mewnbwn/allbwn.

mewnbwn → $\times 0.01$ → $\div 10$ → allbwn

a Cyfrifwch yr allbwn pan fydd y mewnbwn yn 539 **[2]**

b Cyfrifwch y mewnbwn pan fydd yr allbwn yn 4.58 **[2]**

2 O wybod bod $119 \times 0.35 = 41.65$ cyfrifwch:

a $11.9 \times 350$ **[1]**

b $0.4165 \div 0.035$ **[1]**

c $11.9 \times 0.07$ **[2]**

**Cyngor**

Defnyddio gweithrediadau gwrthdro pan fydd yr allbwn yn cael ei roi i chi.

**Gofal**

Defnyddio'r rheolau uchod i wirio nad ydych chi wedi rhoi pwyntiau degol yn y lle anghywir.

ATEBION WEDI'U GWIRIO ☐

# Deall y ffurf safonol

WEDI'I ADOLYGU

CANOLIG

**Rheolau**

I ysgrifennu rhif yn y ffurf safonol:

1. Symud y pwynt degol nifer o leoedd fel ei fod yn syth ar ôl y digid cyntaf sydd ddim yn sero a lluosi â phŵer addas o 10.
2. Os yw'r pwynt degol wedi cael ei symud i'r chwith, y pŵer o 10 fydd plws nifer y lleoedd sydd wedi'u symud.
3. Os yw'r pwynt degol wedi cael ei symud i'r dde, y pŵer o 10 fydd minws nifer y lleoedd sydd wedi'u symud.

**Termau allweddol**

Ffurf safonol

Rhif cyffredin

Pwerau

**Enghreifftiau**

a Ysgrifennwch y rhifau canlynol yn y ffurf safonol.

i 347 000

ii 0.002 18

**Atebion**

i $347\,000 = 347\,000.0 = 3.47 \times 10^{?}$

❶ 5 lle i'r chwith

❷ mae'n golygu pŵer +5

$347\,000 = 3.47 \times 10^{5}$

ii $0.002\,18 = 2.18 \times 10^{?}$

3 lle i'r dde

❸ mae'n golygu pŵer −3

$0.002\,18 = 2.18 \times 10^{-3}$

b Pa rif sydd â'r gwerth mwyaf, $1.75 \times 10^{-9}$ neu $8.19 \times 10^{-10}$?

**Ateb**

$1.75 \times 10^{-9} = 0.000\,000\,001\,75$ (symud y pwynt degol 9 lle i'r chwith (gwrthdro ❸; sylwch 9 sero))

$8.19 \times 10^{-10} = 0.000\,000\,000\,819$ (symud y pwynt degol 10 lle i'r chwith (gwrthdro ❸; sylwch 10 sero))

Mae 0.000 000 001 75 yn fwy na 0.000 000 000 819

**Cyngor**

Os yw'r rhif yn fawr, bydd y pŵer yn bositif.

Os yw'r rhif yn fach, bydd y pŵer yn negatif.

**Cyngor**

Newid rhifau yn rhifau cyffredin drwy ddilyn y rheolau uchod wedi'u gwrthdroi.

**Cwestiynau dull arholiad**

1 Ysgrifennwch y rhifau canlynol yn y ffurf safonol.

a 0.072 **[1]**

b $238.9 \times 10^{3}$ **[1]**

2 Ysgrifennwch y rhifau canlynol fel rhifau cyffredin.

a $9.14 \times 10^{6}$ **[1]**

b $5.18 \times 10^{-4}$ **[1]**

3 Pa un sydd â'r gwerth mwyaf, $167.8 \times 10^{-3}$ neu $17 \times 10^{-2}$? **[2]**

**Gofal**

Rhifau sydd ddim yn rhif cyffredin nac yn rhif yn y ffurf safonol, e.e. $238.9 \times 10^{3}$

**Cyngor**

Gwneud yn siŵr bod y rhifau wedi'u hysgrifennu yn yr un fformat, ffurf safonol neu fel rhifau cyffredin, cyn cymharu.

ATEBION WEDI'U GWIRIO

# Talgrynnu i leoedd degol a brasamcanu

WEDI'I ADOLYGU

CANOLIG

**Rheolau**

1. I dalgrynnu rhif i leoedd degol, edrych ar y rhif nesaf ar ôl y nifer gofynnol o leoedd degol; 1a os yw'n 5 neu'n fwy, cynyddu rhif y lle blaenorol gan 1; 1b os yw'n llai na 5, peidio â newid rhif y lle blaenorol.
2. I amcangyfrif ateb bras i gyfrifiad, talgrynnu pob rhif i **un** ffigur ystyrlon (1 ff.y.).

**Enghreifftiau**

a Ysgrifennwch 4.754 yn gywir i 1 lle degol.

**Ateb**

1 4.754 = 4.8

1a y rhif nesaf ar ôl y nifer gofynnol o leoedd degol

b Ysgrifennwch 0.01278 yn gywir i 2 le degol.

**Ateb**

1 0.01278 = 0.01

1b y rhif nesaf ar ôl y nifer gofynnol o leoedd degol

c Ysgrifennwch amcangyfrif ar gyfer gwerth
i 1026
ii 0.498

**Atebion**

i $1026 \approx 1000$
ii $0.498 \approx 0.5$

**Termau allweddol**

Lleoedd degol

Brasamcan

Amcangyfrif

**Cyngor**

Dydy maint y rhif ddim yn newid.

**Gofal**

Camgymeriad cyffredin yw ysgrifennu 0.498 = 0

**Cwestiynau dull arholiad**

1. Dimensiynau petryal yw 4.87 cm × 2.35 cm. Cyfrifwch arwynebedd y petryal hwn. Rhowch eich ateb yn gywir i 2 le degol. **[2]**
2. Darganfyddwch amcangyfrif ar gyfer gwerth $\frac{4.83 \times 204}{0.51}$. **[2]**

ATEBION WEDI'U GWIRIO

# Lluosi a rhannu ffracsiynau

WEDI'I ADOLYGU ☐

**CANOLIG**

## Rheolau

❶ Wrth luosi ffracsiynau, lluosi'r rhifiaduron â'i gilydd a lluosi'r enwaduron â'i gilydd.
❷ Wrth rannu ffracsiynau, gwrthdroi'r ffracsiwn rydych chi'n rhannu ag ef (troi'r ffracsiwn wyneb i waered), yna lluosi'r ffracsiynau â'i gilydd gan ddefnyddio Rheol ❶.
❸ Symleiddio eich ateb bob amser drwy ganslo.

## Enghreifftiau

**a** Cyfrifwch

i $\frac{2}{3}\times\frac{5}{7}$

ii $\frac{1}{4}\times\frac{3}{5}\times\frac{2}{9}$

**Atebion**

i ❶ $\frac{2}{3}\times\frac{5}{7}=\frac{2\times5}{3\times7}=\frac{10}{21}$

ii ❶ $\frac{1}{4}\times\frac{3}{5}\times\frac{2}{9}=\frac{1\times3\times2}{4\times5\times9}=\frac{6}{180}$

❸ mae symleiddio $\frac{6}{180}$ yn rhoi $\frac{1}{30}$

**b** Cyfrifwch

i $\frac{5}{9}\div\frac{1}{3}$ ii $\frac{21}{40}\div\frac{24}{35}$

Rhowch eich atebion ar eu ffurf symlaf.

**Atebion**

i $\frac{5}{9}\div\frac{1}{3}=\frac{5}{9}\times\frac{3}{1}=\frac{15}{9}=\frac{5}{3}$

❷  ❸

ii $\frac{21}{40}\div\frac{35}{24}=\frac{\overset{3}{\cancel{21}}}{\underset{5}{\cancel{40}}}\times\frac{\overset{3}{\cancel{24}}}{\underset{5}{\cancel{35}}}$ ❷ $=\frac{3\times3}{5\times5}$ ❶ $=\frac{9}{25}$

## Cyngor

Pe na bai'n gofyn 'rhowch eich ateb ar ei ffurf symlaf', byddai $\frac{6}{180}$ yn cael marciau llawn.

## Termau allweddol

Rhifiadur
Enwadur
Lluoswm
Cyniferydd

## Cyngor

Weithiau mae'n haws canslo rhifau yn y rhifiadur â rhifau yn yr enwadur cyn lluosi.

## Cwestiynau dull arholiad

1 Cyfrifwch

a $\frac{3}{10}\times\frac{7}{12}\times\frac{5}{42}$ **[2]**

b $\frac{12}{9}\div\frac{18}{30}$ **[2]**

2 Mae Mike, Ali ac Emily yn rhannu rhywfaint o arian.
Mae gan Mike $\frac{2}{3}$ o'r arian.
Mae gan Ali chwarter o'r swm sydd gan Mike.
Mae gan Emily weddill yr arian.

a Pa ffracsiwn sydd gan Ali? **[2]**

Mae cyfran Mike yn cael ei rhannu'n 5 rhan hafal.

b Pa ffracsiwn o'r swm gwreiddiol o arian yw pob un o'r rhannau hyn? **[2]**

## Cyngor

Mae rhannu â 5 yr un peth â rhannu â $\frac{5}{1}$.

ATEBION WEDI'U GWIRIO ☐

# Adio a thynnu ffracsiynau a gweithio gyda rhifau cymysg

WEDI'I ADOLYGU ☐

**CANOLIG**

## Rheolau

1. Wrth adio neu dynnu ffracsiynau, darganfod ffracsiynau cywerth fel mai'r un rhif yw pob enwadur.
2. O gael rhif cymysg, i'w drawsnewid yn ffracsiwn pendrwm, lluosi'r rhif cyfan â'r enwadur ac adio'r rhifiadur. Dyma'r rhifiadur newydd.
3. O gael ffracsiwn pendrwm, i'w drawsnewid yn rhif cymysg, rhannu'r rhifiadur â'r enwadur i gael y rhif cyfan. Yna y gweddill yw rhifiadur newydd rhan y ffracsiwn yn y rhif cymysg.

## Enghreifftiau

**a** Cyfrifwch

i $\frac{2}{5}+\frac{1}{6}$ ii $\frac{7}{8}-\frac{3}{7}$

**Atebion**

i $\frac{2}{5}+\frac{1}{6}=\frac{12}{30}+\frac{5}{30}$ ❶ $=\frac{17}{30}$ ii $\frac{7}{8}-\frac{3}{7}=\frac{49}{56}-\frac{24}{56}$ ❶ $=\frac{25}{56}$

**b** i Cyfrifwch $\frac{2}{3}+\frac{3}{4}-\frac{1}{5}$. ii Cyfrifwch $2\frac{2}{3}\times3\frac{3}{4}$.

Rhowch eich atebion fel rhifau cymysg.

**Atebion**

i $\frac{2}{3}+\frac{3}{4}-\frac{1}{5}=\frac{40}{60}+\frac{45}{60}-\frac{12}{60}$ ❶ $=\frac{73}{60}=1\frac{13}{60}$

❸ $73 \div 60 = 1$ remainder 13

ii $2 \times 3 = 6 \quad 6 + 2 = 8$

❷ ❷ ❸

$2\frac{2}{3}\times3\frac{3}{4}=\frac{8}{3}\times\frac{15}{4}=\frac{120}{12}=10$

### Gofal

**Peidio â** cheisio adio na thynnu ffracsiynau os yw'r enwaduron yn wahanol.

### Termau allweddol

Rhifiadur

Enwadur

Ffracsiwn pendrwm

Rhif cymysg

### Cyngor

I ddarganfod cyfenwadur, darganfod lluosrif cyffredin lleiaf (darganfod ffactorau cysefin) yr holl enwaduron.

## Cwestiynau dull arholiad

1 Cyfrifwch

a $\frac{5}{8}+\frac{1}{3}$ **[2]** b $5\frac{1}{4}-2\frac{5}{12}$ **[2]**

2 Mae bag yn cynnwys cownteri. Mae $\frac{2}{5}$ o'r cownteri yn lliw coch; mae $\frac{3}{8}$ o'r cownteri yn lliw glas. Mae gweddill y cownteri yn lliw melyn.

a Pa ffracsiwn sydd ddim yn lliw glas? **[1]**

b Pa ffracsiwn sy'n lliw melyn? **[2]**

3 Isod mae petryal.

Cyfrifwch arwynebedd y petryal. **[3]**

$5\frac{1}{3}$ metr

$2\frac{1}{8}$ metr

### Cyngor

Yn aml, mae'n haws trawsnewid yn ffracsiynau pendrwm yn lle ystyried y rhifau cyfan a'r ffracsiynau ar wahân wrth adio neu dynnu rhifau cymysg.

ATEBION WEDI'U GWIRIO ☐

# Trawsnewid ffracsiynau a degolion yn ganrannau ac o ganrannau

WEDI'I ADOLYGU

ISEL

**Rheolau**

1. I drawsnewid ffracsiwn neu ddegolyn yn ganran, lluosi'r ffracsiwn neu'r degolyn â 100 ac yna enrhifo.
2. I drawsnewid canran yn ffracsiwn, ysgrifennu'r ganran dros 100 a symleiddio'r ffracsiwn.
3. I drawsnewid canran yn ddegolyn, rhannu'r ganran â 100.

**Enghreifftiau**

a Trawsnewidiwch yn %

i $\frac{3}{8}$
ii $1\frac{1}{7}$
iii 0.6
iv 4.28

**Atebion**

i $\frac{3}{8} \times 100$ ❶ $= \frac{300}{8} = 300 \div 8 = 37.5\%$
ii $1\frac{1}{7} \times 100$ ❶ $= \frac{8}{7} \times 100 = \frac{800}{7} = 800 \div 7 = 114.285...\%$ neu $114\frac{2}{7}\%$
iii $0.6 \times 100$ ❶ $= 60\%$
iv $4.28 \times 100$ ❶ $= 428\%$

b Trawsnewidiwch
i 8.5%
ii 240% yn ffracsiwn ac yn ddegolyn.

**Atebion**

i $8.5\% = \frac{8.5}{100} = \frac{17}{200}$ ❷; $8.5\% = 8.5 \div 100 = 0.085$ ❸
ii $240\% = \frac{240}{100} = \frac{24}{10} = \frac{12}{5} = 2\frac{2}{5}$ ❷; $240\% = 240 \div 100 = 2.40$ ❸

**Cofio**

Mae canran yn golygu allan o 100.

**Termau allweddol**

Canran

**Gofal**

Gall canrannau hefyd fod dros 100.

**Cyngor**

Ysgrifennu'r dull bob amser; naill ai lluosi â 100 neu rannu â 100.

**Cwestiynau dull arholiad**

1 Ysgrifennwch y canlynol yn nhrefn maint. Dechreuwch â'r gwerth lleiaf. **[2]**
20% $\quad \frac{2}{9} \quad$ 0.21 $\quad \frac{1}{4} \quad$ 0.202

2 Cyfrifwch y gwahaniaeth rhwng 85% a $\frac{9}{11}$.
Rhowch eich ateb fel degolyn. **[2]**

3 Mae creonau pensil mewn blwch. Mae 20% o'r creonau'n lliw coch; mae $\frac{3}{8}$ o'r creonau'n lliw glas. Mae gweddill y creonau naill ai'n lliw gwyrdd neu'n lliw melyn. Mae'r un nifer o greonau lliw gwyrdd â chreonau lliw melyn.
Beth yw canran y creonau lliw melyn sydd yn y blwch? **[3]**

**Cyngor**

Mae'n haws trawsnewid y rhifau i gyd yn ddegolion neu'n ganrannau; peidiwch byth â'u trawsnewid yn ffracsiynau.

ATEBION WEDI'U GWIRIO

# Cyfrifo canrannau a chymhwyso cynnydd a gostyngiad canrannol at symiau

WEDI'I ADOLYGU

**CANOLIG**



## Rheolau

- **1a** Darganfod y cynnydd gwirioneddol drwy ddarganfod y ganran o'r swm sydd wedi'i roi, yna adio'r gwerth hwn at y swm gwreiddiol.
- **1b** Mae'n bosibl darganfod lluosydd drwy adio'r cynnydd canrannol at 100 ac yna rhannu â 100. Yna darganfod y swm mwy drwy gymhwyso'r lluosydd hwn.
- **2a** Darganfod y gostyngiad gwirioneddol drwy ddarganfod y ganran o'r swm sydd wedi'i roi, yna tynnu'r gwerth hwn o'r swm gwreiddiol.
- **2b** Mae'n bosibl darganfod lluosydd drwy dynnu'r cynnydd canrannol o 100 ac yna rhannu â 100. Yna darganfod y swm llai drwy gymhwyso'r lluosydd hwn.

### Termau allweddol

Canran

Cynnydd

Gostyngiad

Lluosydd

## Enghreifftiau

**a** Cynyddwch £250 gan 12%.

**Ateb**

*Dull 1*

**1a** 12% o 250 = $\frac{12}{100} \times 250 = 30$

250 + 30 = £280

*Dull 2*

**1b** Lluosydd = $\frac{100+12}{100} = \frac{112}{100} = 1.12$

250 × 1.12 = £280

**b** Mewn sêl mae cost cot yn cael ei gostwng 35%. Cyfrifwch beth yw cost y got yn y sêl os oedd yn costio £79 yn wreiddiol.

**Ateb**

*Dull 1*

**2a** 35% o £79 = $\frac{35}{100} \times 79 = 27.65$

79 − 27.65 = £51.35

*Dull 2*

**2a** Lluosydd = $\frac{100-35}{100} = \frac{65}{100} = 0.65$

79 × 0.65 = £51.35

### Cyngor

Wrth ddefnyddio lluosydd, dangos sut rydych chi'n ei ddarganfod.

## Cwestiynau dull arholiad

1. Hyd y llinyn mewn pelen o linyn yw 8.5 metr. Mae darn o linyn yn cael ei dorri o'r belen hon. Mae'r darn o linyn yn 1.5% o hyd y llinyn ar y belen. Cyfrifwch hyd y darn hwn o linyn. Rhowch eich ateb mewn centimetrau. **[2]**
2. Mae Peter yn prynu paentiad am £360. Os yw'n gwerthu'r paentiad mewn arwerthiant, mae e'n debygol o wneud elw o 12.5%. Mae Peter yn gwerthu'r paentiad yn breifat am £400. Allai Peter fod wedi gwneud mwy o elw pe bai wedi gwerthu'r paentiad yn yr arwerthiant? **[4]**
3. Mae 48 cownter coch a 60 cownter gwyn mewn bag. Mae $33\frac{1}{3}$% o'r cownteri coch yn cael eu tynnu o'r bag. Mae nifer y cownteri gwyn yn cael ei gynyddu 20%. Ydy nifer y cownteri yn y bag wedi cynyddu neu wedi gostwng? **[4]**

### Cyngor

Gweithio mewn unedau cyson (cm yma).

### Cyngor

Dangos yn glir bob rhan o'ch dulliau.

### Gofal

Camgymeriad cyffredin yw gostwng pan ddylech chi fod yn cynyddu gwerth (ac i'r gwrthwyneb).

ATEBION WEDI'U GWIRIO

# Darganfod y newid canrannol rhwng un swm a swm arall

WEDI'I ADOLYGU

CANOLIG

**Rheolau**

1. I ddarganfod un maint fel canran o faint arall, ysgrifennu'r maint fel ffracsiwn o'r llall a lluosi â 100.
2. I ddarganfod newid canrannol, ysgrifennu'r newid o'r swm gwreiddiol fel ffracsiwn ac yna lluosi â 100.

**Term allweddol**

Canran

**Enghreifftiau**

**a** Darganfyddwch 2.4 fel canran o 15.

**Ateb**

$\frac{2.4}{15} \times 100$ ❶ $= \frac{240}{15} = \frac{48}{3} = 16\%$

Symleiddio drwy ganslo

**b** Mae buanedd cyfartalog trên yn cynyddu o 208 m.y.a. i 234 m.y.a. Cyfrifwch y newid canrannol.

**Ateb**

$234 - 208 = 26$

newid % $= \frac{26}{208} \times 100 =$ ❷ $\frac{2600}{208}$ = cynnydd o 12.5%.

**Cyngor**

Ar bapur lle caniateir cyfrifiannell, defnyddio eich cyfrifiannell ond ysgrifennu pa gyfrifiadau rydych chi'n eu gwneud.

Ar bapur lle na chewch ddefnyddio cyfrifiannell, bydd ffracsiynau fel arfer yn canslo.

**Cwestiynau dull arholiad**

1. Cyfrifwch 65c fel canran o £26. **[2]**
2. Ar ddechrau'r haf, pwysau Sam oedd 80 kg. Dros yr haf, cynyddodd pwysau Sam 2.5%. Yna aeth Sam ar ddeiet ac erbyn hyn mae wedi colli 5 kg o bwysau.

   Cyfrifwch y newid canrannol ym mhwysau Sam rhwng dechrau'r haf a nawr. **[4]**
3. Masnachwyr marchnad yw Nazia a Debra. Talodd Nazia £428 am rai nwyddau a gwerthodd nhw am £492.20. Talodd Debra £296 am rai nwyddau a gwerthodd nhw am £338.92.

   Pwy wnaeth yr elw canrannol mwyaf? **[4]**

**Cyngor**

Nodi bob amser a yw'n gynnydd neu'n ostyngiad.

**Cyngor**

Rhaid esbonio eich ateb bob amser. Fydd dim marciau am ateb 'Nazia' neu 'Debra'.

ATEBION WEDI'U GWIRIO

# Cwestiynau dull arholiad cymysg

**1** Mae Paul yn dweud bod $5 \times 2 + 3 - 7$ yn hafal i 18.
Mae Lisa yn dweud bod $5 \times 2 + 3 - 7$ yn hafal i 6.
Trwy ychwanegu set o gromfachau, dangoswch y gallai Paul a Lisa fod yn gywir. **[2]**

**2** Mae Naomi yn cael ei thalu £8.45 yr awr am wythnos o 35 awr.
Mae hi'n gweithio 12 awr o oramser ar gyfradd o £12.60 yr awr.
Mae Izmail yn dweud, 'Os bydda' i'n gweithio 45 awr am £9.80 yr awr, bydda' i'n ennill mwy na Naomi.'
Ydy Izmail yn gywir? **[4]**

**3** Mae melysion yn cael eu gwerthu mewn tiwbiau ac mewn blychau.
Mae tiwb yn cynnwys 40 o felysion ac yn costio 48c.
Mae blwch yn cynnwys 112 o felysion ac yn costio £1.40.
- **a** Pa un sy'n cynnig y gwerth gorau am arian, tiwb neu flwch o felysion? **[3]**
- **b** Mae angen 180 o felysion ar Mary i addurno teisen. Beth yw'r ffordd fwyaf economaidd o brynu digon o felysion? **[2]**

**4** O wybod bod $27.3 \times 5.9 = 161.07$, cyfrifwch
- **a** $0.0273 \times 59$ **[1]**
- **b** $27.3 \times 5.8$ **[2]**

**5** Mae'r diagram yn dangos triongl ongl sgwâr.
- **a** Ysgrifennwch y dimensiynau yn gywir i 1 lle degol, yna cyfrifwch arwynebedd y triongl. **[3]**
- **b** Pe bai'r dimensiynau'n cael eu hysgrifennu yn gywir i 2 le degol, a fyddai arwynebedd y triongl yn fwy na'ch ateb yn **a** neu'n llai? Esboniwch eich ateb. Peidiwch â chyfrifo'r arwynebedd gwirioneddol i ateb hyn. **[1]**

7.564 cm

3.958 cm

**6** Mewn sinema mae 29 rhes o seddau gyda 41 sedd ym mhob rhes.
Cost tocyn ar gyfer y sinema hwn yw £5.95.
Neithiwr roedd pob sedd yn y sinema yn llawn.
Amcangyfrifwch beth oedd cyfanswm cost y tocynnau ar gyfer neithiwr. **[3]**

# Rhannu yn ôl cymhareb benodol

WEDI'I ADOLYGU

UCHEL

## Rheolau

1. I rannu swm yn ôl y gymhareb $a : b : c$, darganfod gwerth un uned o'r swm, rhannu'r swm â chyfanswm $a$, $b$ ac $c$.
2. Yna lluosi'r ateb hwn â phob un o $a$, $b$ ac $c$.
3. I ddarganfod ffracsiwn pob rhan o'r gymhareb $a : b : c$, ysgrifennu pob rhan fel ffracsiwn allan o gyfanswm $a$, $b$ ac $c$.

## Enghreifftiau

**a** Mae Tom, Mary a Sally yn rhannu £72 yn ôl y gymhareb 4 : 3 : 2. Cyfrifwch faint mae pob person yn ei gael.

**Ateb**

❶ 72 ÷ (4 + 3 + 2) = 72 ÷ 9 = £8 am bob cyfran

❷ Mae Tom yn cael £8 × 4 = £32,
mae Mary yn cael £8 × 3 = £24,
mae Sally yn cael £8 × 2 = £16

**b** Cymhareb cymysgedd o sment a thywod yw 1 : 4.
Pa ffracsiwn o'r cymysgedd yw
i sment
ii tywod?

**Atebion**

❸ i sment = $\frac{1}{1+4} = \frac{1}{5}$

ii tywod = $\frac{4}{1+4} = \frac{4}{5}$

## Termau allweddol

Cymhareb

Cyfran

## Gofal

Camgymeriad cyffredin yw ysgrifennu $\frac{1}{4}$ o'r cymysgedd ar gyfer ffracsiwn sment.

## Cwestiynau dull arholiad

1 Rhannwch £132 yn ôl y gymhareb 5 : 4 : 2. **[2]**

2 Mewn etholiad, cymhareb pleidleiswyr Ceidwadol i bleidleiswyr Llafur i bleidleiswyr eraill yw 9 : 5 : 3. Roedd 27 132 o bobl wedi pleidleisio yn yr etholiad hwn.

Faint mwy o bobl oedd wedi pleidleisio dros y Ceidwadwyr na Llafur? **[3]**

3 Mae siop yn gwerthu coffi mewn pecyn o dri maint gwahanol. Mae cyfaint y coffi ym mhob pecyn yn ôl y gymhareb 3 : 4 : 5. Cost pob maint o becyn yw £4.30, £6.30 a £7.50.

Pecyn o ba faint sy'n rhoi'r gwerth gorau am arian? **[4]**

## Cyngor

Cyfrifo gwerth **un** gyfran bob amser.

Gwirio bob amser fod eich ateb yn adio i'r swm sydd wedi'i roi.

## Cyngor

Gwneud yn siŵr fod eich dewis yn cael ei gefnogi gan waith cyfrifo clir.

ATEBION WEDI'U GWIRIO

## Gweithio gyda meintiau cyfrannol

WEDI'I ADOLYGU

UCHEL



**Rheolau**

❶ I ddefnyddio'r dull unedol, darganfod gwerth **un** rhan o'r swm cyfan.
❷ Yna mae'n bosibl darganfod lluosrifau.

**Termau allweddol**

Cymhareb

Cyfran

Lluosrifau

**Enghreifftiau**

a Mae 12 llyfr unfath yn costio £23.88.
Cyfrifwch beth yw cost 5 o'r llyfrau hyn.

**Ateb**
❶ 23.88 ÷ 12 = £1.99 y llyfr ← Gwerth **un** uned
❷ Mae 5 llyfr yn costio £1.99 × 5 = £9.95

b Cyfrifwch pa un yw'r gwerth gorau yn achos y bagiau hyn o datws; 6 kg am £8.16 neu 11 kg am £15.18.

**Ateb**
❶ £8.16 ÷ 6 = £1.36 y kg

❶ £15.18 ÷ 11 = £1.38 y kg

Felly 6 kg am £8.16 yw'r gwerth gorau.

**Cyngor**

Rhoi atebion mewn brawddeg bob amser a chefnogi'r atebion â gwaith cyfrifo.

**Cwestiynau dull arholiad**

1 Mae 8 beiro yn costio £5.20.

Cyfrifwch beth yw cost 15 o'r beiros hyn. **[2]**

2 Mae Jay yn prynu tri dogn o sglodion a dwy bei am £6.45. Mae Mandy yn prynu 5 pei am £6.

Beth yw cost un dogn o sglodion? **[3]**

3 Dyma'r cynhwysion i wneud 40 bisged.
600 g menyn, 300 g siwgr a 900 g blawd.
Mae gan Mrs Bee y cynhwysion canlynol yn ei chwpwrdd.
1.5 kg menyn, 1 kg siwgr a 2 kg blawd.

Cyfrifwch y nifer mwyaf o'r bisgedi hyn mae Mrs Bee yn gallu eu gwneud. **[4]**

**Cyngor**

Cyfrifo gwerth **un** rhan bob amser.

**Cyngor**

Esbonio pam mai hwn yw'r rhif mwyaf.

ATEBION WEDI'U GWIRIO

# Nodiant indecs a rheolau indecsau

WEDI'I ADOLYGU

UCHEL

## Rheolau

1. Rydyn ni'n ysgrifennu $a \times a \times a \times \ldots \times a$ ($m$ gwaith) fel $a^m$.
2. I luosi rhifau sydd wedi'u hysgrifennu ar ffurf indecs, adio'r pwerau. $a^m \times a^n = a^{m+n}$
3. I rannu rhifau sydd wedi'u hysgrifennu ar ffurf indecs, tynnu'r pwerau. $a^m \div a^n = a^{m-n}$
4. I godi rhif sydd wedi'i ysgrifennu ar ffurf indecs i bŵer penodol, lluosi'r pwerau â'i gilydd. $(a^m)^n = a^{mn}$

### Termau allweddol

Indecs

Indecsau

Pwerau

## Enghreifftiau

**a** Ysgrifennwch $7 \times 7 \times 7 \times 7 \times 7$ ar ffurf indecs.

**Ateb**

❶ $7 \times 7 \times 7 \times 7 \times 7 = 7^5$

**b** Ysgrifennwch $\left(\frac{2^3 \times 2^4}{2^5}\right)^3$ fel pŵer o 2.

**Ateb**

$\left(\frac{2^3 \times 2^4}{2^5}\right)^3 = \left(\frac{2^7}{2^5}\right)^3$ gan fod $2^3 \times 2^4 = 2^{3+4} = 2^7$ ❷

$= (2^2)^3$ gan fod $2^7 \div 2^5 = 2^{7-5} = 2^2$ ❸

$= 2^6$ gan fod $(2^2)^3 = 2^{2\times3} = 2^6$ ❹

### Cyngor

Camgymeriad cyffredin yw lluosi pwerau yn lle adio mewn lluoswm.

### Cyngor

Camgymeriad cyffredin yw rhannu pwerau yn lle tynnu mewn cyniferydd.

### Gofal

Dilyn rheolau CORLAT a chyfrifo'r cyfrifiad y tu mewn i'r cromfachau yn gyntaf.

## Cwestiynau dull arholiad

1 a Ysgrifennwch $10 \times 10 \times 10 \times 10$ mewn nodiant indecs. **[1]**

b Defnyddiwch eich cyfrifiannell i gyfrifo gwerth $8^5$. **[1]**

2 $x = 8 \times 2^4 \quad y = 4^2 \times 16$

Cyfrifwch beth yw gwerth $xy$. Rhowch eich ateb fel pŵer o 2. **[3]**

3 Mae Tom yn ceisio cyfrifo gwerth $\frac{10^4 \times 10^5}{10 \times 10^2}$.

Mae Tom yn ysgrifennu $\frac{10^4 \times 10^5}{10 \times 10^2} = \frac{10^{20}}{10^2} = 10^{10} = 100$.

Ysgrifennwch bob un o'r camgymeriadau mae Tom wedi'u gwneud. **[4]**

ATEBION WEDI'U GWIRIO

# Ffactorio rhifau cysefin

WEDI'I ADOLYGU ☐

**UCHEL**

## Rheolau

I ysgrifennu rhif fel lluoswm ei ffactorau cysefin, defnyddio naill ai dull y goeden ffactorau neu ddull rhannu sy'n cael ei ailadrodd.

1. Dull coeden ffactorau: parhau i ysgrifennu pob rhif fel lluoswm dau ffactor nes bod pob un o'r ffactorau yn rhifau cysefin; yna ysgrifennu'r rhain fel lluoswm.
2. Dull rhannu sy'n cael ei ailadrodd: parhau i rannu â rhif cysefin nes bod yr ateb terfynol yn 1; yna ysgrifennu fel lluoswm yr holl rifau cysefin sydd wedi cael eu defnyddio.
3. I ddarganfod ffactor cyffredin mwyaf rhifau sydd wedi'u hysgrifennu fel lluoswm eu ffactorau cysefin, dewis yr holl ffactorau cyffredin a'u lluosi nhw â'i gilydd.
4. I ddarganfod lluosrif cyffredin lleiaf rhifau sydd wedi'u hysgrifennu fel lluoswm eu ffactorau cysefin, dewis pob ffactor (ffactorau cyffredin unwaith yn unig) a'u lluosi nhw â'i gilydd.

**Term allweddol**

Ffactorau cysefin

## Enghreifftiau

**a** Ysgrifennwch 108 fel lluoswm ei ffactorau cysefin.

**Ateb**

❶

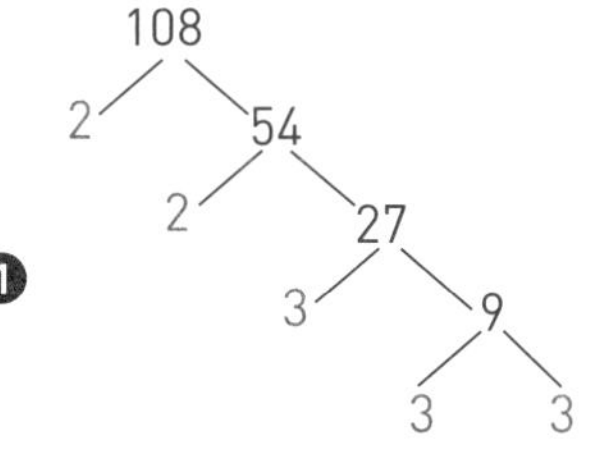


$108 = 2 \times 2 \times 3 \times 3 \times 3$

❷

| | |
|---|---|
| 2 | 108 |
| 2 | 54 |
| 3 | 27 |
| 3 | 9 |
| 3 | 3 |
| | 1 |

$108 = 2 \times 2 \times 3 \times 3 \times 3$

**b** Darganfyddwch **i** ffactor cyffredin mwyaf 108 ac 80
**ii** lluosrif cyffredin lleiaf 108 ac 80.

**Atebion**

108 wedi'i ysgrifennu fel lluoswm ei ffactorau cysefin yw $2 \times 2 \times 3 \times 3 \times 3$

80 wedi'i ysgrifennu fel lluoswm ei ffactorau cysefin yw $2 \times 2 \times 2 \times 2 \times 5$ gan ddefnyddio ❶ neu ❷.

**i** ffactor cyffredin mwyaf 108 ac 80 $= 2 \times 2 = 4$ ❸ dewis ffactorau cysefin cyffredin.

**ii** lluosrif cyffredin lleiaf 108 ac 80 $= 2 \times 2 \times 3 \times 3 \times 3 \times 2 \times 2 \times 5 = 2160$ ❹ dewis pob ffactor cysefin ond ysgrifennu ffactorau cyffredin unwaith yn unig.

**Cyngor**

Gall yr ateb hwn gael ei ysgrifennu hefyd mewn nodiant indecs fel $2^2 \times 3^3$.

**Gofal**

Camgymeriad cyffredin yw rhestru'r ffactorau cysefin heb eu hysgrifennu fel lluoswm: byddai 2, 2, 3, 3, 3 yn colli marciau.

**Cyngor**

Y lluosrif cyffredin lleiaf yw'r ffactor cyffredin mwyaf wedi'i luosi â'r holl ffactorau eraill.

## Cwestiynau dull arholiad

1 **a** Ysgrifennwch 96 fel lluoswm ei ffactorau cysefin. **[2]**
**b** Darganfyddwch **i** ffactor cyffredin mwyaf 96 ac 120 **ii** lluosrif cyffredin lleiaf 96 ac 120. **[3]**

2 Mae Nadir yn yr ysbyty. Mae hi'n cael pigiad bob 6 awr. Mae hi'n cael tabledi bob 8 awr. Maen nhw'n newid ei rhwymynnau bob 10 awr.
Ddydd Llun am 8:00 a.m. mae Nadir yn cael pigiad, mae hi'n cymryd ei thabledi ac maen nhw'n newid ei rhwymynnau.

Pryd bydd hi nesaf yn cael pob un o'r tair triniaeth ar yr un pryd? **[3]**

ATEBION WEDI'U GWIRIO ☐

# Cwestiynau dull arholiad cymysg

**1** Mae $\frac{5}{6}$ o aelodau clwb chwaraeon yn wrywol. Mae $\frac{1}{4}$ o'r aelodau gwrywol dan 18 oed.

Mae $\frac{1}{3}$ o'r aelodau benywol yn mynd i ddosbarthiadau cadw'n heini.

**a** Pa ffracsiwn o aelodau'r clwb chwaraeon sy'n wrywol a dros 18 oed? **[2]**

**b** Pa ffracsiwn o aelodau'r clwb chwaraeon sy'n fenywol ac sydd ddim yn mynd i ddosbarthiadau cadw'n heini? **[2]**

**2** Mae'r tabl yn dangos yr amser gwnaeth Helen ei dreulio yn gwneud gwaith cartref yr wythnos diwethaf.

| **Dydd** | Llun | Maw | Mer | Iau | Gwe |
|---|---|---|---|---|---|
| **Amser mewn oriau** | $1\frac{3}{4}$ | $2\frac{1}{2}$ | $1\frac{1}{3}$ | $3\frac{2}{7}$ | $\frac{3}{4}$ |

Roedd $\frac{1}{3}$ o'r amser dreuliodd hi'n gwneud gwaith cartref wedi'i dreulio ar naill ai Mathemateg neu Saesneg.

Cyfrifwch nifer yr oriau dreuliodd hi'n gwneud naill ai Mathemateg neu Saesneg.

Rhowch eich ateb fel rhif cymysg. **[3]**

**3** Cyflog blynyddol Rachel yw £34 500. Cyflog blynyddol Peter yw £32 900.
Mae cyflog Rachel yn cynyddu 4%.
Mae cyflog Peter yn cynyddu 6%.
Cyflog blynyddol pwy yw'r mwyaf nawr? **[3]**

**4** Yn 2015, roedd gan Jason 5800 o stampiau yn ei gasgliad.
Yn 2016, gwerthodd Jason rai stampiau a gostyngodd ei gasgliad 15%.
Yn 2017, gwerthodd Jason ragor o stampiau gan ostwng ei gasgliad 10% yn ychwanegol.

**a** Yn 2016 a 2017, beth oedd cyfanswm y stampiau werthodd Jason? **[3]**

**b** Beth oedd y gostyngiad canrannol cyfan yng nghasgliad stampiau Jason? **[2]**

**5** Mae Brian yn gwario $\frac{2}{5}$ o'i enillion misol ar ddillad ac adloniant.
Cymhareb yr arian mae'n ei wario ar ddillad i'r arian mae'n ei wario ar adloniant yw 4 : 3.
Pa ffracsiwn o'i enillion misol mae Brian yn ei wario ar adloniant? **[3]**

**6** Mae concrit yn cael ei wneud o dywod, carreg a sment.
Mae Bill yn gwneud 10 metr ciwbig o goncrit gyda chymhareb y tywod, carreg a sment yn hafal i 4 : 3 : 1. Mae Sandra yn gwneud 8 metr ciwbig o goncrit gyda chymhareb y tywod, carreg a sment yn hafal i 6 : 5 : 2.

**a** Pwy sy'n defnyddio'r mwyaf o sment, Bill neu Sandra? **[3]**

**b** Pe bai Bill yn cymysgu ei goncrit â thywod, carreg a sment yn ôl y gymhareb 10 : 7 : 2, sut byddai hyn yn effeithio ar faint o sment fyddai'n angenrheidiol? **[1]**

**7** Mae llaeth yn cael ei werthu mewn poteli o dri maint, sef bach, canolig a mawr.
Mae potel fach yn dal 1 peint o laeth ac yn costio £1.24.
Mae potel ganolig yn dal 1 litr o laeth ac yn costio £2.15.
Mae potel fawr yn dal 1 galwyn o laeth ac yn costio £9.80.
Potel o laeth o ba faint yw'r gwerth gorau? (1 peint = 0.568 litr) **[4]**

# Algebra: gwiriad cyn adolygu

Gwiriwch pa mor dda rydych chi'n gwybod pob testun drwy ateb y cwestiynau hyn. Os cewch chi gwestiwn yn anghywir, ewch i'r dudalen sydd â'i rhif mewn cromfachau i adolygu'r testun hwnnw.

**1** Mae'r fformiwla hon yn rhoi gwerth $p$ yn nhermau $q$ ac $r$.
$p = 2q - 3r$

Darganfyddwch beth yw gwerth $p$ pan fo $q = 10$ ac $r = 4$. (tudalen 20)

**2** Datryswch yr hafaliadau canlynol.

**a** $a + 4 = 6$

**b** $\frac{b}{3} = 5$

**c** $5c + 4 = 6$

**ch** $15 - \frac{3e}{2} = 24$ (tudalen 21)

**3 a** Ehangwch y cromfachau canlynol.

**i** $5(2a + 3)$

**ii** $h(3h - 6)$

**iii** $3x(4x - 2y)$

**b** Ffactoriwch yn llawn

**i** $6y + 12$

**ii** $6p^2 - 9p$

**iii** $5e^2 + 10ef$

**iv** $8x^2y - 12xy^2$ (tudalen 22)

**4** Datryswch yr hafaliadau canlynol.

**a** $5x - 6 = 2x + 3$

**b** $7 - 2p = 6p + 13$

**c** $2 - \frac{3y}{2} = 5 + \frac{5y}{4}$ (tudalen 23)

**5** Datryswch

**a** $5(3g - 2) = 35$

**b** $4(5h + 7) = 3(2h + 8)$

**c** $2(5k + 8) - 6 = 4(2k - 1)$ (tudalen 24)

**6** Dyma 5 term cyntaf dilyniant llinol.

4 10 16 22 28

**a** Darganfyddwch $n$fed term y dilyniant.

**b** Cyfrifwch y 50fed term yn y dilyniant.

**c** Esboniwch a yw 900 yn aelod o'r dilyniant. (tudalen 25)

**7 a** Ar grid cyfesurynnau sydd wedi'i luniadu â gwerthoedd $x$ o –3 i +3 a gwerthoedd $y$ o –6 i +8, lluniadwch graff $y = 2x + 1$.

**b** Darganfyddwch beth yw gwerth $x$ pan fo $y = 6$ (tudalen 27)

**8** Dyma graff sy'n dangos dyfnder y dŵr mewn harbwr. Mae angen i long fynd i mewn i'r harbwr rhwng 08:00 a 20:00. Mae angen o leiaf dyfnder o 4 metr o ddŵr yn yr harbwr ar y llong. Rhwng pa amserau mae'r llong yn gallu mynd i mewn i'r harbwr? (tudalen 29)

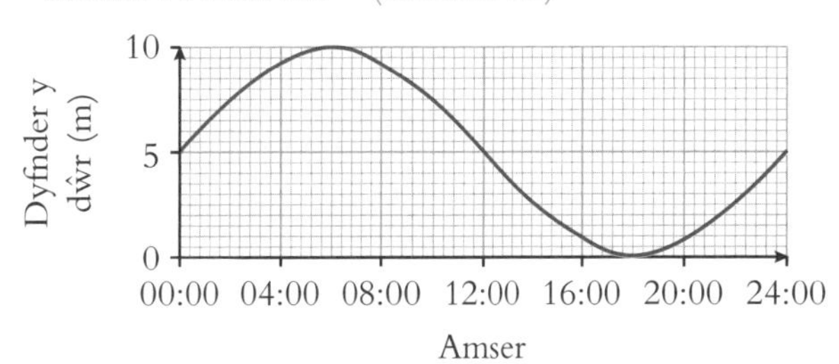

## Gweithio gyda fformiwlâu

WEDI'I ADOLYGU

**CANOLIG**

**Rheolau**

1. Rydyn ni'n gallu rhoi rhifau yn lle geiriau neu lythrennau mewn fformiwla.
2. Defnyddio CORLAT i ddarganfod gwerth y gair coll neu'r llythyren goll.
3. Defnyddio gwrthdroeon i ysgrifennu'r fformiwla neu'r hafaliad fel bod y llythyren goll ar ei phen ei hun ar un ochr o'r fformiwla neu'r hafaliad.

**Enghreifftiau**

a Dyma fformiwla i ddarganfod perimedr petryal:
$P = 2l + 2w$.
Darganfyddwch beth yw gwerth $P$ pan fydd $l = 6$ ac $w = 4$.

**Ateb**
$P = 2l + 2w$

❶ $P = 2 \times 6 + 2 \times 4$

❷ $P = 12 + 8 = 20$

b Mae Tom yn llogi car o *Cars 2U*.
i Beth yw cost llogi car am 7 diwrnod?
ii Mae gan Ben £100.
Am faint o ddiwrnodau mae e'n gallu llogi car? Rhaid i chi esbonio eich ateb.

*Cars 2U*

£20 plws £30 y dydd

**Atebion**

i Cost = 20 + 7 × 30 ❶
Cost = 20 + 210 ❷
Cost = £230

ii $100 = 20 + N \times 30$ ❶
$100 - 20 = N \times 30$ ❸
$80 = N \times 30$ felly $N = 80 \div 30 = 2.666...$ ❷
Mae Ben yn gallu llogi car am 2 ddiwrnod. Mae hyn yn costio £80. Mae 3 diwrnod yn costio £110 sy'n ormod.

**Gofal**

Mae $2w$ yn golygu $2 \times w$.

Felly os yw $w = 5$ yna $2w$ yw $2 \times 5 = 10$ nid 25

**Termau allweddol**

Fformiwla
Amnewid
Newidyn
Hafaliad

**Cyngor**

Dangos eich gwaith cyfrifo **bob amser** wrth ateb cwestiynau algebra.

**Peidio** â defnyddio dulliau profi a methu oherwydd gallech chi golli marciau.

**Cwestiynau dull arholiad**

1 Mae Bobbie yn defnyddio'r peiriant rhif hwn i gyfrifo nifer y cartonau o sudd oren sy'n angenrheidiol ar gyfer parti.

Nifer y bobl → ÷5 → +2 → Nifer y cartonau

a Faint o gartonau bydd eu hangen ar Bobbie ar gyfer 40 o bobl? **[2]**
b Faint o bobl sydd mewn parti sy'n defnyddio 20 carton? **[2]**

2 Mae'r fformiwla hon yn rhoi'r amser, $T$ munud, mae'n ei gymryd i goginio cyw iâr sydd â'i bwysau'n $w$ kg.
$T = 40w + 20$
a Faint o amser mae'n ei gymryd i goginio cyw iâr sydd â'i bwysau'n 2.5 kg? **[2]**

Mae'n cymryd 3 awr 20 munud i goginio cyw iâr gwahanol.
b Beth oedd pwysau'r cyw iâr? **[2]**

ATEBION WEDI'U GWIRIO

# Llunio a datrys hafaliadau syml

WEDI'I ADOLYGU

**CANOLIG**



**Rheolau**

1. Defnyddio'r gweithrediadau gwrthdro bob amser i ddatrys hafaliad.
2. + a – yw'r gwrthdro i'w gilydd.
3. × a ÷ yw'r gwrthdro i'w gilydd.
4. I lunio hafaliad mae'n rhaid diffinio newidyn.

**Enghreifftiau**

a ❷ $2p + 5 = 17$ (– 5 yw gweithrediad gwrthdro + 5)

$2p + 5 - 5 = 17 - 5$ (tynnu 5 o ddwy ochr yr hafaliad)

❸ $2p = 12$ (÷ 2 yw gwrthdro × 2)

$p = 6$ (rhannu dwy ochr yr hafaliad â 2)

b ❷ Mae Ann ddwy flynedd yn ifancach na Ben.
Mae Clara ddwywaith oed Ben.
Cyfanswm eu hoedrannau yw 58.
Cyfrifwch eu hoedrannau.

**Ateb**
Gadewch i oed Ben fod yn $x$.

Oed Ann yw $x - 2$.

Oed Clara yw $2x$.

Yn gyntaf, llunio'r hafaliad:

$x + (x - 2) + 2x = 58$

Nawr casglu termau tebyg:

$4x - 2 = 58$

$4x = 60$ (Adio 2 at y ddwy ochr)

$x = 15$ (Rhannu'r ddwy ochr â 4)

Mae Ann yn 13, Ben yn 15 a Clara yn 30.

**Termau allweddol**

Hafaliad

Gweithrediad gwrthdro

Datrys

Newidyn

**Cyngor**

Defnyddio dulliau algebraidd a dangos eich gwaith cyfrifo bob amser i ennill marciau llawn.

Gwirio eich ateb bob amser i wneud yn siŵr ei fod yn gywir.

**Cwestiynau dull arholiad**

1 Datryswch yr hafaliadau

a $a - 3 = 7$ **[1]** b $\frac{b}{5} = 3$ **[1]** c $3c + 9 = 7$ **[2]**

ch $\frac{5d}{2} + 4 = 29$ **[2]** d $6 - 2e = 3$ **[2]**

2 Petryal yw hwn.
Yr hyd yw $2x + 5$.
Y lled yw $x - 3$.
Y perimedr yw 46 cm.

$2x + 5$ | $x - 3$

Cyfrifwch arwynebedd y petryal mewn cm². **[4]**

ATEBION WEDI'U GWIRIO

# Defnyddio cromfachau

WEDI'I ADOLYGU

**CANOLIG**

**Rheolau**

1. Wrth ehangu set o gromfachau, lluosi'r hyn sydd y tu mewn i'r cromfachau â'r rhif neu'r newidyn sydd y tu allan i'r cromfachau.
2. Wrth ffactorio mynegiad algebraidd, cymryd y ffactor cyffredin o bob term yn y mynegiad a'i roi y tu allan i'r cromfachau.

**Enghreifftiau**

a Ehangwch

i $4(3x + 5)$ ii $t(3t - 4)$

**Atebion**

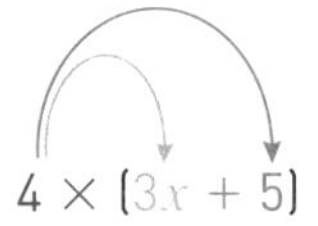

1. $4 \times (3x + 5)$

$4 \times 3x + 4 \times 5$

$12x + 20$

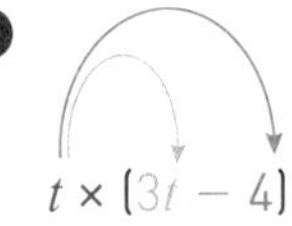

1. $t \times (3t - 4)$

$t \times 3t - t \times 4$

$3t^2 - 4t$

b Ffactoriwch

i $4p + 6$ ii $6p^2q - 9pq^2$

**Atebion**

i $2 \times 2 \times p + 2 \times 3$

Mae 2 yn y 4 ac yn y 6

2. $2(2p + 3)$

ii $3 \times p \times q \times 2 \times p - 3 \times p \times q \times 3 \times q$

Mae 3 a $p$ a $q$ yn y ddau derm

2. $3pq(2p - 3q)$

**Gofal**

$x \times x = x^2$ gan ddefnyddio deddfau indecsau.

**Termau allweddol**

Cromfachau

Newidyn

Mynegiad

Ehangu

Ffactorio

**Cwestiynau dull arholiad**

1. Mae Beth 3 blynedd yn hŷn nag Amy. Mae Cath ddwywaith oed Beth. Cyfanswm eu hoedrannau yw 41. Beth yw oed y tair merch? **[3]**
2. Petryal yw $PQRS$. Hyd y petryal yw $(2x - 5)$ cm. Lled y petryal yw 6 cm. Arwynebedd y petryal yw 72 cm². Darganfyddwch beth yw gwerth $x$ a beth yw perimedr y petryal. **[4]**

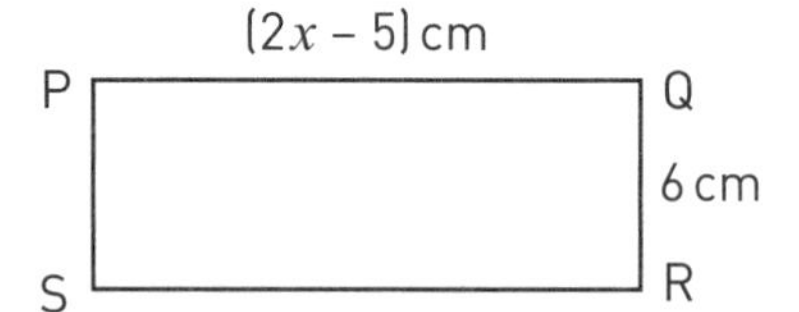


**Cyngor**

Gwirio eich ateb bob amser drwy luosi'r cromfachau.

Diffinio eich newidyn bob amser, e.e. gadewch i oed Amy fod yn $x$.

Yna llunio eich hafaliad.

ATEBION WEDI'U GWIRIO

# Hafaliadau mwy cymhleth a datrys hafaliadau gyda'r anhysbysyn ar y ddwy ochr

WEDI'I ADOLYGU

**UCHEL**

**Rheolau**

1. Cadw'r newidynnau ar yr ochr o'r hafaliad sydd â'r nifer mwyaf o'r newidyn hwnnw a symud y rhifau i ochr arall yr hafaliad.
2. Yna datrys yr hafaliad.

**Enghreifftiau**

**a** Datryswch $5x + 4 = 2x - 8$

**Ateb**

$5x - 2x + 4 = -8$ ❶

$3x = -8 - 4$ ❷

$3x = -12$

$x = -4$

(Mae $5x$ yn fwy na $2x$ felly rhowch bob $x$ ar ochr chwith yr hafaliad)

**b** Datryswch $5.5 - 2.4y = 1.6y - 2.5$

**Ateb**

$5.5 = 1.6y + 2.4y - 2.5$ ❶

$5.5 + 2.5 = 4y$ ❷

$8 = 4y$

$y = 2$

(Mae $1.6y$ yn fwy na $-2.4y$ felly rhowch bob $y$ ar ochr dde yr hafaliad)

**Gofal**

Y newidyn ar ddwy ochr yr hafaliad.

**Termau allweddol**

Newidyn

Datrys

**Cwestiynau dull arholiad**

1 Petryal yw hwn.
Mae'r holl fesuriadau mewn cm.

Darganfyddwch arwynebedd y petryal mewn cm². **[5]**

$3r + 4$

$2p + 3$ $4p - 2$

$7r - 8$

2 Triongl yw hwn.
Ongl $A = 2x + 30$
Ongl $B = 5x - 15$
Ongl $C = 3x + 15$

Profwch mai triongl hafalochrog yw'r triongl $ABC$.
Pa dybiaethau rydych chi wedi'u gwneud yn eich prawf? **[5]**

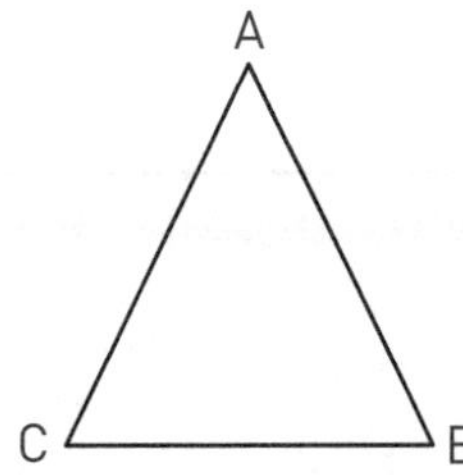


**Cyngor**

Llunio eich hafaliadau yn gyntaf bob amser.

ATEBION WEDI'U GWIRIO

# Datrys hafaliadau sydd â chromfachau

WEDI'I ADOLYGU

UCHEL

**Rheolau**

1. Lluosi (ehangu) y cromfachau.
2. Yna datrys yr hafaliad.

**Enghreifftiau**

**a** Datryswch $3(2x + 5) = 27$

**Ateb**

$3 \times 2x + 3 \times 5 = 27$ (Ehangu'r cromfachau) 1

$6x + 15 = 27$ 2

$6x = 12$

$x = 2$

**b** Datryswch $5(3y - 2) = 3(6y + 5) - 13$

**Ateb**

$5 \times 3y - 5 \times 2 = 3 \times 6y + 3 \times 5 - 13$ (Ehangu'r cromfachau) 1

$15y - 10 = 18y + 15 - 13$ 2

$15y - 10 = 18y + 2$

$-12 = 3y$ ← (Symudwch y newidynnau i'r ochr dde gan mai dyna'r ochr sydd â'r nifer mwyaf o newidynnau)

$y = -4$

**Gofal**

Cromfachau y bydd angen eu lluosi.

**Termau allweddol**

Newidyn

Ehangu

Cromfachau

Datrys

**Cwestiynau dull arholiad**

1 Mae Abbi yn meddwl am rif $n$.
Mae hi'n dyblu'r rhif ac yn adio 5.
Yna mae Abbi yn lluosi ei hateb â 5 ac yn cael 85.
Darganfyddwch y rhif gwnaeth Abbi feddwl amdano gyntaf. **[3]**

2 Petryal yw hwn.
Perimedr y petryal yw 210 cm.
Cyfrifwch arwynebedd y petryal. **[3]**

$3(2x + 5)$ cm

$2(2x - 5)$ cm

**Cyngor**

Llunio eich hafaliadau yn gyntaf bob amser.

ATEBION WEDI'U GWIRIO

# Dilyniannau llinol

WEDI'I ADOLYGU

CANOLIG



**Rheolau**

1. Darganfod y gwahaniaeth drwy dynnu termau dilynol.
2. Os yw'r gwahaniaeth rhwng pob term yr un peth bob tro (gwahaniaeth cyffredin), yna rydyn ni bob amser yn gallu ysgrifennu'r dilyniant fel $an + b$, dyma'r $n$fed term.
3. Gwerth $a$ yw'r gwahaniaeth cyffredin bob amser.
4. Defnyddio'r term cyntaf i ddarganfod gwerth $b$.
5. I wirio a yw rhif mewn dilyniant, yna gwneud hafaliad â'r $n$fed term.
6. Drwy roi rhifau cyfan (1, 2, 3...) i mewn i'r $n$fed term rydyn ni'n gallu llunio'r dilyniant.

**Enghreifftiau**

a Patrwm rhifau yw hwn: 4 10 16 22 ...

i Darganfyddwch y term nesaf yn y patrwm.
ii Darganfyddwch yr $n$fed term yn y patrwm.
iii Esboniwch pam nad yw 102 yn aelod o'r patrwm.

**Atebion**

i Y gwahaniaeth cyffredin yw 6 ac felly y term nesaf yw $22 + 6 = 28$ ❶

ii Yr $n$fed term fydd $6n + b$ ❷ ❸
Y term cyntaf yw 4 ac felly $(6 \times 1) + b = 4$ ac felly $b = 4 - 6 = -2$ ❹
Felly yr $n$fed term yw $6n - 2$

iii Os yw 102 yn y dilyniant, yna $6n - 2 = 102$ ❺
Mae adio 2 at bob ochr yn rhoi $6n = 104$
Mae rhannu pob ochr â 6 yn rhoi $n = 17\frac{1}{3}$
Er mwyn i 102 fod yn y dilyniant mae'n rhaid i werth $n$ fod yn rhif cyfan gan mai $n$ yw rhif y term.
Felly, dydy 102 ddim yn y dilyniant.

b $n$fed termau dau ddilyniant llinol yw: $5n + 2$ a $30 - 6n$
Esboniwch a oes gan y ddau ddilyniant hyn unrhyw dermau sy'n gyffredin.

**Ateb**

Rhestru'r termau yn y dilyniannau ❻:

| | | | | | | |
|---|---|---|---|---|---|---|
| Mae $5n + 2$ yn rhoi | 7 | 12 | 17 | 22 | 27 | 32 |
| Mae $30 - 6n$ yn rhoi | 24 | 18 | 12 | 6 | 0 | −6 |

Mae 12 yn y ddau ddilyniant.

**Gofal**

Gwirio'r gwahaniaeth rhwng termau dilynol bob amser.

**Termau allweddol**

Term
Dilyniant rhif
Patrwm rhif
Cyfres rhif
Gwahaniaeth
Gwahaniaeth cyffredin
$n$fed term

**Cwestiynau dull arholiad**

1 Dyma rai termau mewn dilyniant llinol. 7, ..., 15, ..., ..., $t$

a Darganfyddwch beth yw gwerth term $t$. **[1]**
b Darganfyddwch yr $n$fed term yn y dilyniant. **[2]**
c Esboniwch a yw 163 yn y dilyniant. **[2]**

2 Ar gyfer pa werth $n$ mae $n$fed term y dilyniant llinol hwn yn negatif am y tro cyntaf?

**55 51 47 43 ...**

Rhaid i chi ddangos eich holl waith cyfrifo. **[3]**

**Cyngor**

Gwirio eich ateb bob amser drwy restru termau'r dilyniant.

ATEBION WEDI'U GWIRIO

# Cwestiynau dull arholiad cymysg

**1** Mae Nigel yn defnyddio'r fformiwla hon i newid rhwng graddau Fahrenheit a graddau Celsius.

$$C = \frac{5F - 160}{9}$$

Tymheredd arferol cyfartalog corff dynol yw 98.6 °F.

**a** Beth yw 98.6 °F mewn graddau Celsius? **[2]**

**b** Pa dymheredd sydd yr un peth mewn graddau Celsius ag y mae mewn graddau Fahrenheit? **[3]**

**2** Mae Bobbi yn defnyddio'r fformiwla hon i gyfrifo'r amser, $t$ munud, mae'n ei gymryd i goginio cyw iâr sydd â'i bwysau'n $w$ kg.

$t = 40w + 20$

Mae Bobbi eisiau i gyw iâr sy'n pwyso 2 kg fod wedi'i goginio am 12 o'r gloch ganol dydd. Faint o'r gloch dylai hi roi'r cyw iâr i mewn i'r ffwrn? **[3]**

**3** Perimedr sgwâr yw $(40x + 60)$ cm. Mae gan bentagon rheolaidd yr un perimedr â'r sgwâr. Dangoswch mai'r gwahaniaeth rhwng hyd ochrau'r ddau siâp yw $(2x + 3)$ cm. **[3]**

**4** Mae Mrs Jones yn trefnu trip ysgol i'r theatr ar gyfer 42 o bobl.
Mae hi'n mynd â phlant ac oedolion ar y trip.
Talodd pob oedolyn £40 am ei docyn.
Talodd pob plentyn £16 am ei docyn.
Cyfanswm cost y tocynnau oedd £1080.
Sawl oedolyn aeth ar y trip? **[4]**

**5** Dyma siâp T wedi'i luniadu ar ran o grid 10 wrth 10.

Mae'r T sydd wedi'i thywyllu yn cael ei galw'n $T_2$ oherwydd 2 yw'r rhif lleiaf yn y T.

Mae $T_2$ yn swm yr holl rifau yn y siâp T; felly $T_2 = 45$.

**a** Darganfyddwch fynegiad, yn nhermau $n$, ar gyfer $T_n$. **[3]**

**b** Esboniwch pam nad yw $T_n$ yn gallu bod yn hafal i 130. **[2]**

| 1 | 2 | 3 | 4 | 5 | 6 |
|---|---|---|---|---|---|
| 11 | 12 | 13 | 14 | 15 | 16 |
| 21 | 22 | 23 | 24 | 25 | 26 |
| 31 | 32 | 33 | 34 | 35 | 36 |
| 41 | 42 | 43 | 44 | 45 | 46 |

# Plotio graffiau ffwythiannau llinol

WEDI'I ADOLYGU

**CANOLIG**



## Rheolau

❶ Bob amser llunio tabl gwerthoedd i helpu i blotio'r pwyntiau ar y grid.
❷ Dechrau â'r gwerth 0 a rhoi gwerthoedd positif i mewn yn gyntaf.
❸ Plotio'r pwyntiau a'u cysylltu nhw â llinell syth.
❹ Yna mae'n bosibl defnyddio'r graff i ddarllen gwerthoedd o un echelin i'r llall.

## Enghreifftiau

**a** Mae'r amser mae'n ei gymryd i goginio cyw iâr yn cael ei roi gan y fformiwla $T = 20w + 20$.

i Lluniwch dabl gwerthoedd ar gyfer $T = 20w + 20$.

ii Lluniadwch graff $T$ ar gyfer gwerthoedd $w$ o 0 i 5 pwys o ran pwysau ($w$).

iii Defnyddiwch eich graff i ddarganfod yr amser ($T$) mae'n ei gymryd i goginio cyw iâr sy'n pwyso $3\frac{1}{2}$ pwys.

**Atebion**

i ❶ 

| $w$ | 0 | 1 | 2 | 3 | 4 | 5 |
|---|---|---|---|---|---|---|
| **$20w$** | 0 | 20 | 40 | 60 | 80 | 100 |
| **20** | 20 | 20 | 20 | 20 | 20 | 20 |
| $T = 20w + 20$ | 20 | 40 | 60 | 80 | 100 | 120 |

ii Lluniadu graff. ❸

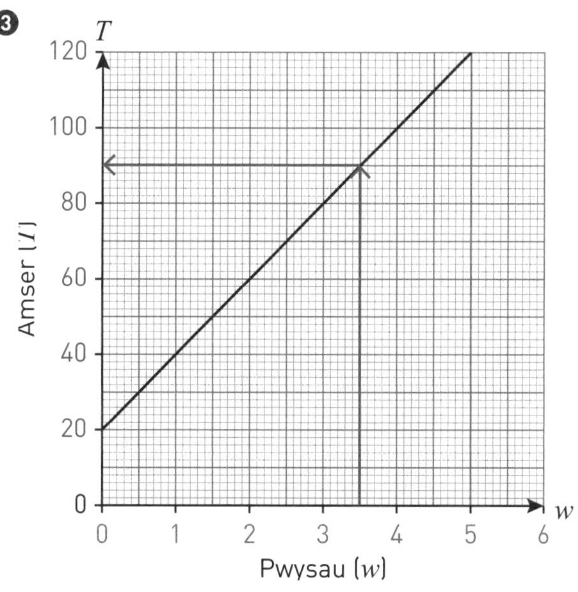


iii Tynnu llinell fertigol i fyny o $3\frac{1}{2}$ ar yr echelin-$w$ i'r graff ac yna o'r graff tynnu llinell lorweddol i'r echelin-$T$. ❹
Mae hyn yn rhoi'r ateb 90 munud.

**b** Isod mae tabl gwerthoedd ar gyfer $y = 2x + 1$.

| $x$ | –3 | –2 | –1 | 0 | 1 | 2 | 3 |
|---|---|---|---|---|---|---|---|
| $y$ | | | | | | | |

i Copïwch a chwblhewch y tabl gwerthoedd.

ii Lluniadwch graff $y = 2x + 1$.

iii Darganfyddwch beth yw gwerth $x$ pan fydd $y = 4$.

## Gofal

Cyfrifo'r gwerthoedd positif yn y tabl gwerthoedd yn gyntaf bob amser.

Gwneud yn siŵr eich bod yn tynnu llinell syth.

## Termau allweddol

Newidyn

Tabl gwerthoedd

Echelin

## Cyngor

Dangos bob amser sut rydych chi'n darllen y graff drwy dynnu'r llinellau syth.

**Atebion**

i Yn gyntaf cyfrifo gwerthoedd positif $y$. Yna cyfrifo'r gwerthoedd negatif. (Dylen nhw ddilyn yr un patrwm.) ❶ ❷

| $x$ | –3 | –2 | –1 | 0 | 1 | 2 | 3 |
|---|---|---|---|---|---|---|---|
| $y$ | –5 | –3 | –1 | 1 | 3 | 5 | 7 |

ii Graff wedi'i luniadu. ❸

iii $x = 1.5$ pan fydd $y = 4$ ❹

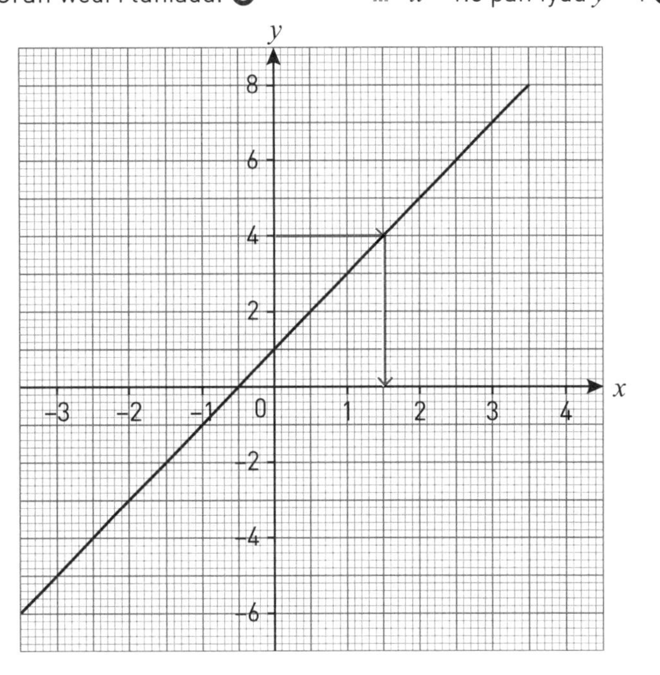


Cwestiynau dull arholiad

1 Mae Liam yn llogi car. Mae e'n talu £40 am y diwrnod cyntaf ac yna £20 am bob diwrnod ychwanegol.
   a Lluniadwch graff cost llogi'r car. **[2]**
   b Mae gan Liam £150 i'w wario ar logi car. Am faint o ddiwrnodau mae Liam yn gallu llogi'r car? **[2]**

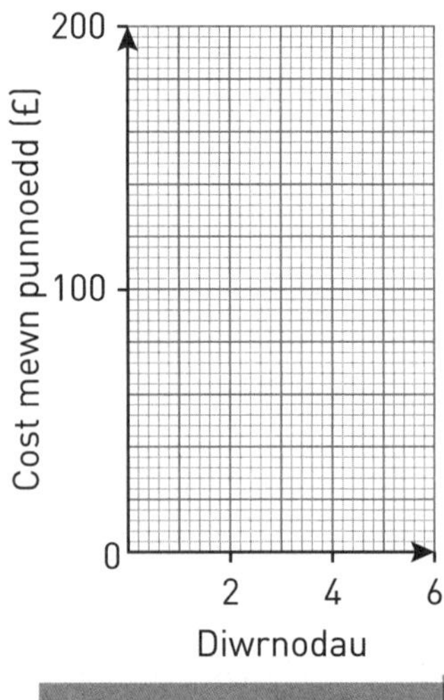


2 Isod mae tabl gwerthoedd ar gyfer $y = 2x - 1$.

| $x$ | –3 | –2 | –1 | 0 | 1 | 2 | 3 |
|---|---|---|---|---|---|---|---|
| $y$ | | | | | | | |

   a Copïwch a chwblhewch y tabl gwerthoedd. **[2]**
   b Lluniadwch graff $y = 2x - 1$. **[3]**
   c Darganfyddwch beth yw gwerth $x$ pan fydd $y = 4$. **[2]**

ATEBION WEDI'U GWIRIO ☐

# Graffiau bywyd go iawn

WEDI'I ADOLYGU

ISEL

## Rheolau

1. Y gwerth mwyaf yw'r pwynt uchaf ar y graff.
2. Y gwerth lleiaf yw'r pwynt isaf ar y graff.
3. Y mwyaf serth yw'r llinell ar graff, uchaf i gyd yw cyfradd y newid.
4. Y lleiaf serth yw'r llinell ar graff, isaf i gyd yw cyfradd y newid.
5. Os yw'r llinell yn llorweddol, mae cyfradd y newid yn sero.

## Enghraifft

Isod mae pedwar graff.

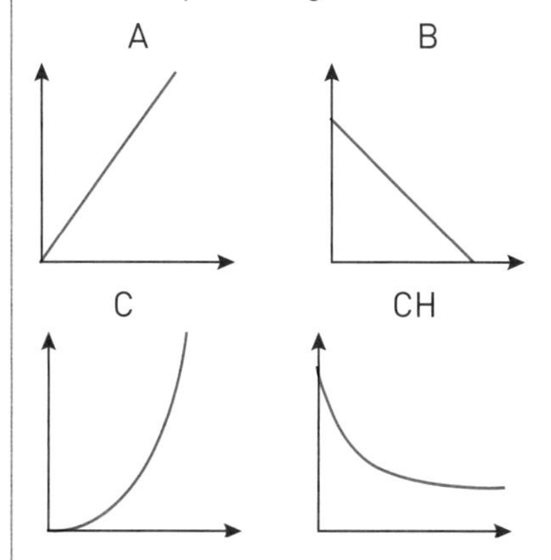


Ysgrifennwch sefyllfa gallai pob un o'r graffiau hyn ei disgrifio.

**Ateb**

**A** Wrth i un newidyn fynd i fyny, mae'r newidyn arall yn mynd i fyny hefyd. Mae'r graffiau hyn yn gallu cael eu defnyddio ar gyfer graffiau trawsnewid – y mwyaf rydych yn ei brynu, mwyaf i gyd rydych yn ei dalu.

**B** Wrth i un newidyn fynd i fyny, mae'r newidyn arall yn mynd i lawr. Mae'n gallu dangos y tanwydd sydd ar ôl yn y tanc tanwydd mewn car wrth i'r car fynd ar daith.

**C** Wrth i un newidyn fynd i fyny, mae'r newidyn arall yn mynd i fyny yn gyflymach. Mae'n gallu dangos cynnydd mewn poblogaeth e.e. cwningod. ❸

**CH** Wrth i un newidyn fynd i fyny, mae'r newidyn arall yn mynd i lawr ond yn llai araf wrth iddo fynd i lawr. Mae'n gallu dangos tymheredd cwpanaid o de sy'n cael ei adael i oeri. ❹

## Gofal

Graffiau pellter-amser a graffiau trawsnewid.

## Termau allweddol

Newidyn
Echelinau
Perthynas
Mwyaf
Lleiaf
Cyfradd newid
Graddiant

## Cyngor

Defnyddio brawddegau mewn atebion geiriol.

## Cwestiwn dull arholiad

Dyma graff teithio sy'n dangos taith Jo i'r siopau ac yn ôl. Bu'n rhaid iddi aros ger gwaith ffordd wrth iddi fynd i'r siopau.

a Faint o'r gloch gwnaeth Jo adael ei chartref? **[1]**
b Faint o amser dreuliodd Jo ger y gwaith ffordd? **[1]**
c Faint o amser dreuliodd hi yn y siopau? **[1]**
ch Faint o'r gloch gwnaeth Jo gyrraedd ei chartref eto? **[1]**
d Pa mor bell yw cartref Jo o'r siopau? **[1]**
dd Faint o amser gymerodd Jo i fynd i'r siopau? **[1]**
e Faint o amser gymerodd Jo i fynd adref o'r siopau? **[1]**
f Cyfrifwch beth oedd buanedd cyfartalog Jo o'r siopau i'w chartref. **[2]**

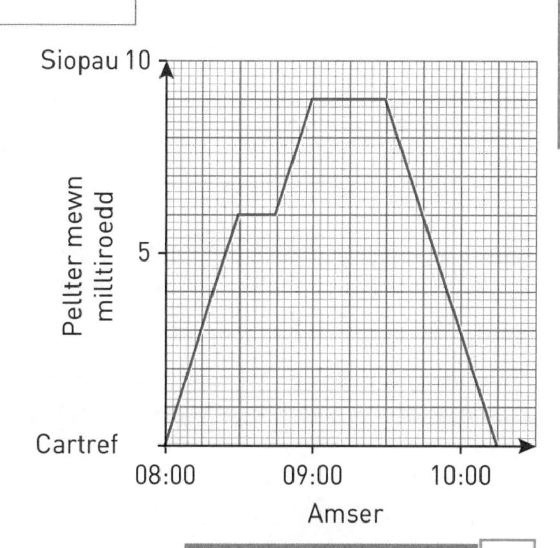


ATEBION WEDI'U GWIRIO

# Cwestiynau dull arholiad cymysg

**1** Mae Sid yn llogi car o ***Cars 4 U***.

**a** Darganfyddwch beth yw cost llogi car am 4 diwrnod o ***Cars 4 U***.

**b** Cost llogi car o ***Cars 4 U*** yw £20 plws cyfradd y diwrnod. Cyfrifwch y gyfradd y diwrnod.

Mae Sid eisiau cymharu cost llogi car o ***Cars 4 U*** ac o ***Car Co*** sy'n codi £25 am bob diwrnod o logi. Mae Sid yn llogi ceir am gyfnodau gwahanol o amser. Mae eisiau defnyddio'r cwmni mwyaf rhad.

**c** Pa un o'r ddau gwmni hyn yw'r un mwyaf rhad ar gyfer llogi'r car? Rhaid i chi ddangos eich gwaith cyfrifo ac esbonio eich ateb.

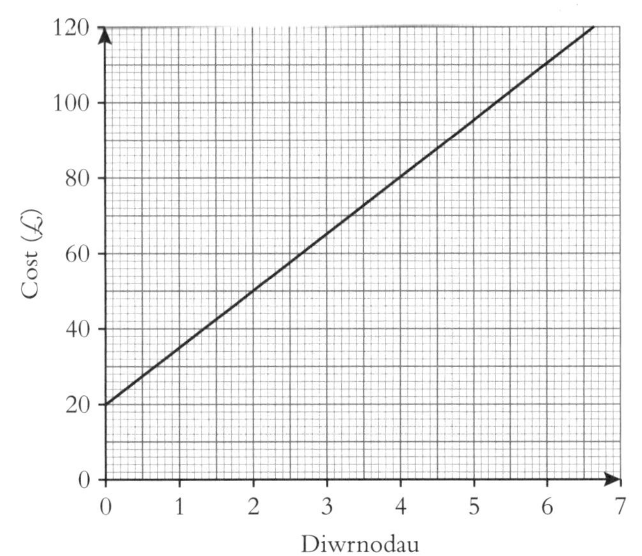


**2** Ar grid cyfesurynnau â gwerthoedd $x$ o $-3$ i $+3$ a gwerthoedd $y$ o $-6$ i $+8$, lluniadwch graff $y = 2x + 3$.

# Geometreg a Mesurau: gwiriad cyn adolygu

Gwiriwch pa mor dda rydych chi'n gwybod pob testun drwy ateb y cwestiynau hyn. Os cewch chi gwestiwn yn anghywir, ewch i'r dudalen sydd â'i rhif mewn cromfachau i adolygu'r testun hwnnw.

**1** Tua faint o filltiroedd sy'n gywerth ag 160 km? (tudalen 33)

**2** Cyfeiriant A oddi wrth B yw 235°.

**a** Lluniadwch gyfeiriant A oddi wrth B.

**b** Defnyddiwch eich diagram i gyfrifo cyfeiriant B oddi wrth A. (tudalen 34)

**3** Mae uwcholwg dyluniad gardd yn cael ei luniadu yn ôl y raddfa 1 : 25. Hyd cyfan y ffensin sydd i'w weld yn yr uwcholwg yw 68 cm.

**a** Sawl metr o ffensin fydd yn angenrheidiol ar gyfer yr ardd wirioneddol?

Lled y lawnt gwirioneddol fydd 3.5 m.

**b** Beth fydd lled y lawnt yn y diagram? (tudalen 34)

**4** Mae gwlithen yn symud ar fuanedd o 1.2 cm/eiliad. Pa mor bell bydd y wlithen wedi symud mewn 2 awr? Rhowch eich ateb mewn metrau. (tudalen 35)

**5** Enwch y pedrochrau sydd â'r canlynol:

**a** un pâr o ochrau cyferbyn yn baralel

**b** pedair ochr hafal

**c** cymesuredd cylchdro trefn 2. (tudalen 36)

**6** Ysgrifennwch beth yw maint onglau *a* a *b*. (tudalen 38)

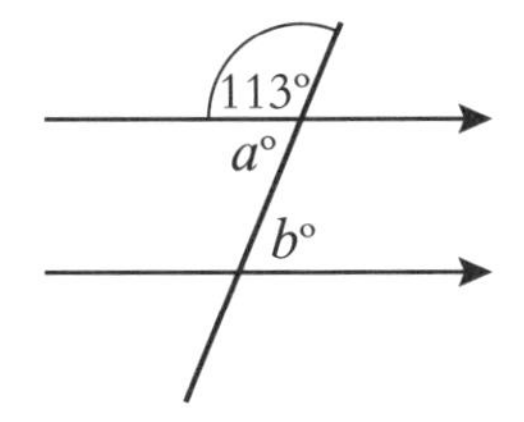


**7** Cyfrifwch beth yw maint onglau allanol a mewnol polygon rheolaidd sydd ag 12 ochr. (tudalen 39)

**8** Cyfrifwch arwynebedd a pherimedr y paralelogram sydd i'w weld isod. Rhowch unedau eich atebion. (tudalen 40)

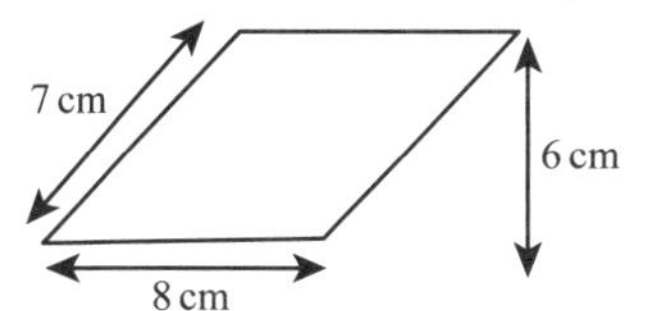


**9** Darganfyddwch arwynebedd a chylchedd cylch sydd â'i radiws yn 5 cm. (tudalen 41)

**10** Gan ddefnyddio dim ond pren mesur a chwmpas, lluniwch y triongl XYZ fel bod XY = 8 cm, YZ = 6.5 cm a'r ongl XYZ = 90°. (tudalen 43)

**11** Mae'r triongl A wedi'i luniadu ar y grid sgwariau isod. (tudalen 45)

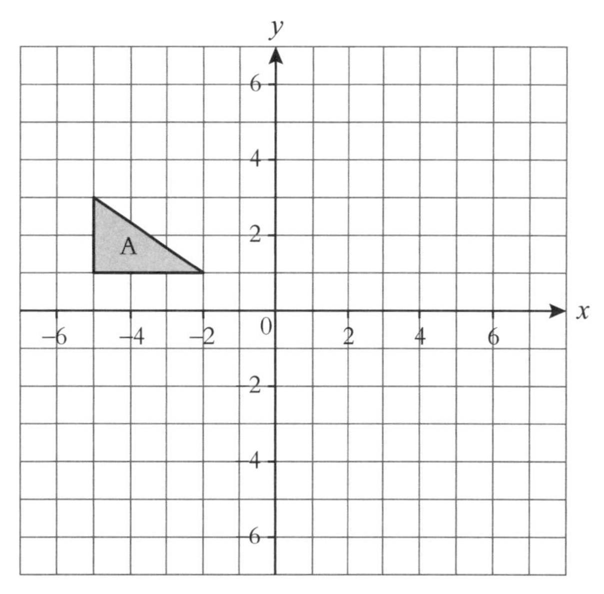


**a** Cylchdrowch y triongl A trwy 180° o amgylch y pwynt sydd â'r cyfesurynnau (0, 2). Labelwch eich ateb yn B.

**b** Adlewyrchwch y triongl A yn y llinell $y = -1.5$. Labelwch y ddelwedd yn C.

**12** Disgrifiwch yn llawn y trawsffurfiad sy'n mapio triongl T ar ben triongl R yn y diagram isod. (tudalen 49)

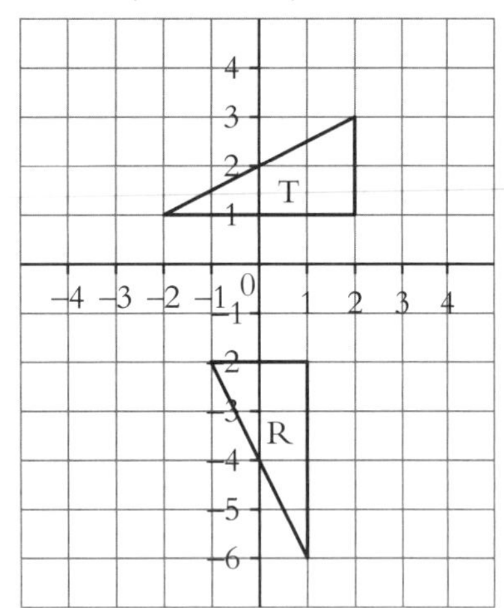


**13** Brasluniwch rwydi, uwcholwg ac ochrolwg

**a** ciwboid

**b** prism trionglog ongl sgwâr. (tudalen 51)

**14** Cyfrifwch beth yw cyfaint ac arwynebedd arwyneb y ciwboid hwn. (tudalen 52)

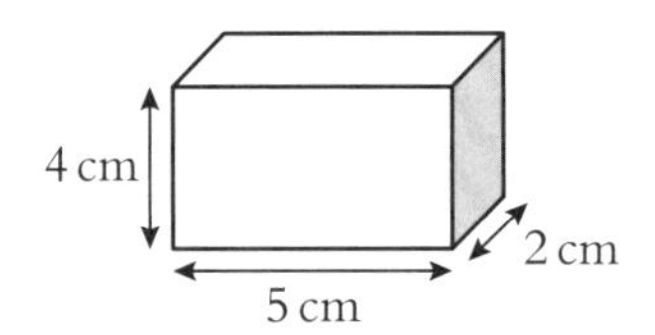


**15** Cyfrifwch beth yw cyfaint ac arwynebedd arwyneb y silindr hwn. (tudalen 52)

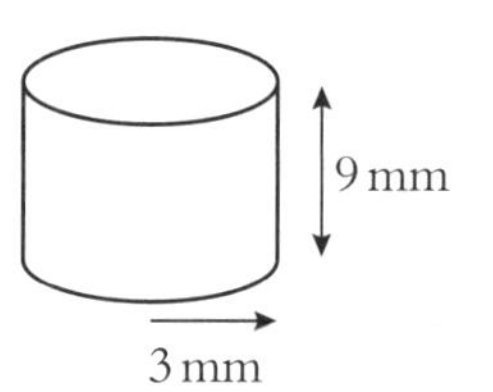


**16** Lluniadwch uwcholwg, blaenolwg ac ochrolwg y gwrthrych sydd i'w weld isod. (tudalen 51)

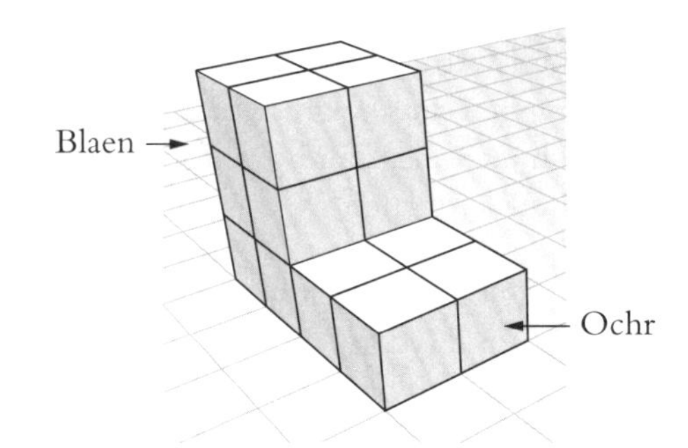

# Trawsnewid yn fras rhwng unedau metrig ac imperial

WEDI'I ADOLYGU

**UCHEL**

## Rheolau

1. Dysgu rhai trawsnewidiadau sylfaenol, fel y canlynol: bod 5 milltir yn fras yn 8 km, a bod 1 kg yn fras yn 2.2 bwys.
2. Cofio defnyddio cyfrannedd.
3. Edrych ar eich ateb i weld a yw'n gwneud synnwyr. Oeddech chi'n disgwyl gwerth mwy neu werth llai na'r gwerth gwreiddiol?
4. Peidio byth â thalgrynnu gwerthoedd y brasamcan i ddechrau. Rhaid i dalgrynnu ddigwydd yn y cam terfynol yn unig, os o gwbl.

## Enghreifftiau

**a** Mae Trefor yn teithio ar gyfradd gyson.
Mae e'n teithio 120 km mewn 1 awr.
Pa mor bell bydd e'n teithio mewn $\frac{1}{4}$ awr?
Rhowch eich ateb mewn **milltiroedd**.

**Ateb**

**a** Mewn $\frac{1}{4}$ awr bydd Trefor yn teithio $120 \div 4 = 30$ km.
8 km $\approx$ 5 milltir
1 km $\approx \frac{5}{8}$ milltir (rhannu'r ddwy ochr ag 8, i ddarganfod 1 km)
Mae angen darganfod 30 km mewn milltiroedd.
Gan fod 1 km $\approx \frac{5}{8}$ milltir,
yna mae 30 km $\approx 30 \times \frac{5}{8}$. (lluosi'r ddwy ochr â 30)
30 km $\approx$ 18.75 milltir
Mae Trefor yn teithio 18.75 milltir. (Fel gwiriad, mae 1 cilometr yn fyrrach nag 1 filltir, ac felly bydden ni'n disgwyl i'r ateb fod yn werth llai na 30.)

**b** Mae 12 modfedd mewn 1 droedfedd.
Sawl metr sydd mewn 8 troedfedd?

**Ateb**

**b** Defnyddio ffaith hysbys: 1 fodfedd $\approx$ 2.5 cm.
Felly 12 modfedd $\approx 12 \times 2.5$ cm. (lluosi ag 12)
12 modfedd $\approx$ 30 cm
Felly mae 1 droedfedd, sef 12 modfedd, yn fras yn 30 cm.
Bydd 8 troedfedd yn $8 \times 30 = 240$ cm.
Mae 100 cm mewn 1 metr, ac felly 240 cm $\div 100 = 2.4$ metr.
Mae 8 troedfedd yn fras yn 2.4 metr.

### Termau allweddol

Brasamcanu
Amcangyfrif
Cyfrannedd
Uned

## Cwestiynau dull arholiad

1. O wybod bod 1 galwyn yn 8 peint, defnyddiwch y ffaith bod 1 galwyn yn fras yn 5 litr i amcangyfrif nifer y peintiau mewn 300 o litrau.
2. Tua sawl cilometr sydd mewn 345 o filltiroedd?

ATEBION WEDI'U GWIRIO

### Cyngor

Defnyddio cyfrannedd, ond ystyriwch a yw pob cam o'ch gwaith cyfrifo yn rhesymol.

Rhoi unedau i'r camau o'ch gwaith cyfrifo bob amser.

# Cyfeiriannau a lluniadau wrth raddfa

WEDI'I ADOLYGU

UCHEL

## Rheolau

1. Mae cyfeiriannau bob amser yn cael eu mesur o'r Gogledd i gyfeiriad clocwedd.
2. Mae cyfeiriannau bob amser yn cael eu rhoi gan ddefnyddio tri ffigur.
3. Mae lluniad wrth raddfa â'r un siâp â'r gwreiddiol ac mae pob un o'i hydoedd yn ôl yr un gymhareb.
4. Ffactor graddfa yw cymhareb hydoedd y gwreiddiol i'r hydoedd yn y lluniad wrth raddfa.

## Enghreifftiau

a Mae B 4 cm o A ar gyfeiriant o 100°. Lluniadwch gyfeiriant B oddi wrth A.

**Ateb**

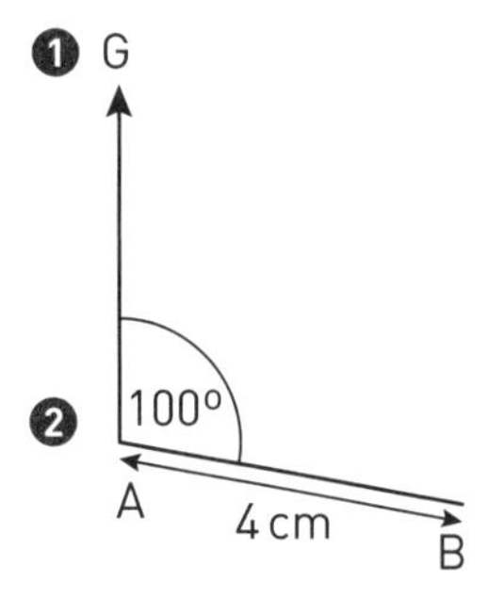


b Mae gan Daniel fodel o dŷ ar y raddfa $\frac{1}{40}$. Lled rhan flaen y tŷ model yw 0.5 m. Uchder y tŷ model yw 40 cm.
- i Beth yw lled y tŷ go iawn?
- ii Beth yw uchder y tŷ go iawn?

**Ateb**
Mae'r tŷ go iawn 40 gwaith cymaint â'r model.
- i Lled y tŷ go iawn = $40 \times 0.5\,\text{m} = 20\,\text{m}$ 4
- ii Uchder y tŷ go iawn = $40 \times 40\,\text{cm} = 1600\,\text{cm}$ neu 16 m

## Termau allweddol

Cyfeiriant

Lluniad wrth raddfa

Ffactor graddfa

Cymhareb

## Gofal

Gwneud yn siŵr eich bod yn rhoi unedau gyda'ch ateb.

I newid cm yn fetrau rhannu â 100.

## Cwestiynau dull arholiad

1 Pentref 6 milltir i'r Dwyrain o Blackford yw Greenfield. Mae pentref Redham 4 milltir o Blackford ac mae ar gyfeiriant o 135°.
- a Lluniadwch ddiagram wrth raddfa yn dangos safleoedd y tri phentref. **[4]**
- b Defnyddiwch eich diagram i gyfrifo cyfeiriant Redham oddi wrth Greenfield. **[2]**

2 Graddfa map yw 1 : 25 000. Ar y map y pellter rhwng dwy bont dros afon yw 8 cm.
- a Beth yw'r pellter gwirioneddol rhwng y ddwy bont? **[1]**
- b Hyd gwirioneddol yr afon yw 6.7 km. Beth yw hyd yr afon ar y map? **[1]**

3 Cyfeiriant B oddi wrth A yw 080°. Cyfrifwch beth yw cyfeiriant A oddi wrth B. **[1]**

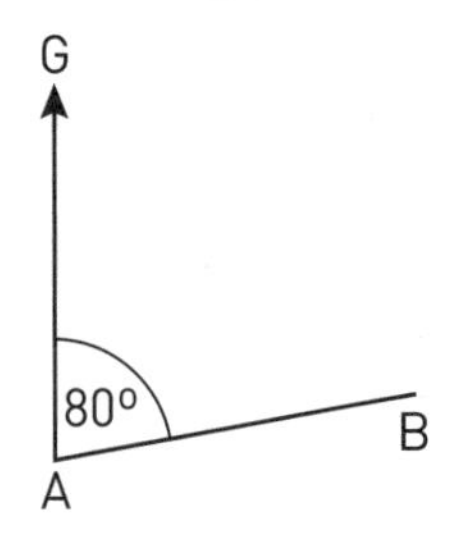


## Cyngor

Tynnu llinell Gogledd cyn i chi ddechrau.

## Cyngor

Defnyddio Rheol 3.

Gwirio bod eich ateb yn realistig.

ATEBION WEDI'U GWIRIO

## Unedau cyfansawdd a dimensiynau fformiwlâu

WEDI'I ADOLYGU

UCHEL

### Rheolau

1. Mae mesur cyfansawdd yn cynnwys dau faint, er enghraifft mae buanedd yn cael ei fesur mewn pellter ac amser.
2. Mewn uned gyfansawdd mae 'y' yn golygu 'am bob'.
3. Os oes angen newid unedau uned gyfansawdd, newid un maint ar y tro.

### Termau allweddol

Buanedd

Y

Cyfradd

### Enghreifftiau

a Mae Galston yn rhedeg 300 m mewn 30 eiliad. Cyfrifwch y buanedd cyfartalog mewn
- i metrau yr eiliad
- ii km y mun.

**Ateb**

buanedd cyfartalog $= \frac{\text{pellter}}{\text{amser}}$ ❶

i Buanedd cyfartalog Galston $= \frac{300\,\text{m}}{30\,\text{s}}$

$= 10$ metr yr eiliad

ii $10 \times 60 = 600$ metr y munud ❸

$= 600 \div 1000$ km y mun $= 0.6$ km y mun

b Mae car yn defnyddio petrol ar gyfradd o 8 km y litr.
Faint o betrol byddai'r car yn ei ddefnyddio ar gyfer taith o 300 km.

**Ateb**

Y maint o betrol wedi'i ddefnydio $= \frac{300}{8} = 37.5$ litr ❷

### Gofal

I newid m yn km rhannu â 1000.

I newid eiliadau yn funudau rhannu â 60.

Mae'n bosibl defnyddio '/' yn lle 'y'.

### Cofio

Cofio cynnwys unedau yn eich ateb.

### Cwestiynau dull arholiad

1 Y pellter o Lundain i Larnaca, Cyprus yw 3212 km. Mae awyren yn cymryd 3 awr a 30 munud i hedfan o Lundain i Larnaca.

Cyfrifwch beth yw buanedd cyfartalog yr awyren. **[2]**

2 Mae 50 litr o ddŵr mewn casgen. Mae'r dŵr yn llifo allan o'r gasgen ar gyfradd o 125 mililitr yr eiliad (1 litr = 1000 o fililitrau).

Cyfrifwch yr amser mae'n ei gymryd i'r gasgen wacáu yn llwyr. **[3]**

3 Mae Sarab a Julian yn gyrru eu ceir eu hunain o Lundain i Leeds. Ar gyfartaledd, mae car Sarab yn teithio 10 km am bob litr o betrol, ac mae'n defnyddio 32 litr o betrol i yrru i Leeds. Ar gyfartaledd, mae car Julian yn teithio 5 km am bob litr o betrol ar gyfer yr un daith.

Cyfrifwch nifer y litrau bydd eu hangen ar gar Julian ar gyfer y daith. **[4]**

### Cyngor

Wrth ateb cwestiynau sy'n cynnwys newid unedau, gwneud yn siŵr bod yr ateb terfynol yn synhwyrol.

ATEBION WEDI'U GWIRIO

# Mathau o drionglau a phedrochrau

WEDI'I ADOLYGU

ISEL

## Rheolau

1. Mae gan bedrochr 4 ochr.
2. Mae 4 ongl pedrochr yn adio i 360°.
3. Mae triongl sydd â 2 ongl hafal a 2 ochr hafal yn cael ei alw'n isosgeles.
4. Mae gan driongl hafalochrog 3 ochr hafal a 3 ongl hafal o 60°.
5. Mae'r 3 ongl mewn triongl yn adio i 180°.

## Enghreifftiau

**a** Lluniadwch baralelogram, gan ddangos ei briodweddau.

**Ateb**

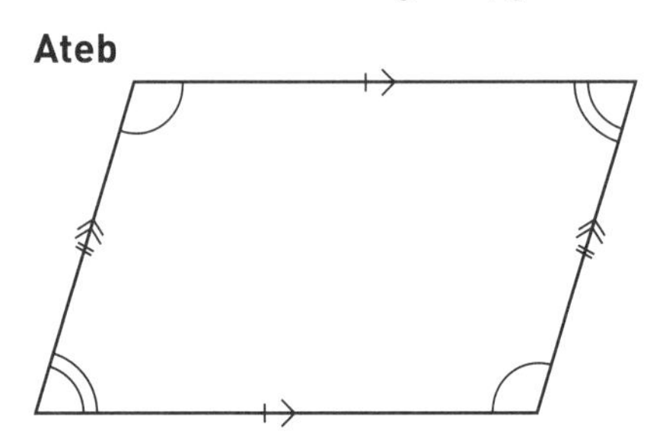

**b** Pa bedrochrau sydd â'r canlynol:

i dim ond un pâr o ochrau paralel
ii dau bâr o ochrau hafal
iii ochrau cyferbyn yn baralel ac â'r un hyd.

**Ateb**

i trapesiwm
ii sgwâr, rhombws, barcut, paralelogram, petryal
iii sgwâr, petryal, paralelogram, rhombws

**c** Mae'r diagram yn dangos rhombws. Cyfrifwch beth yw maint yr onglau eraill.

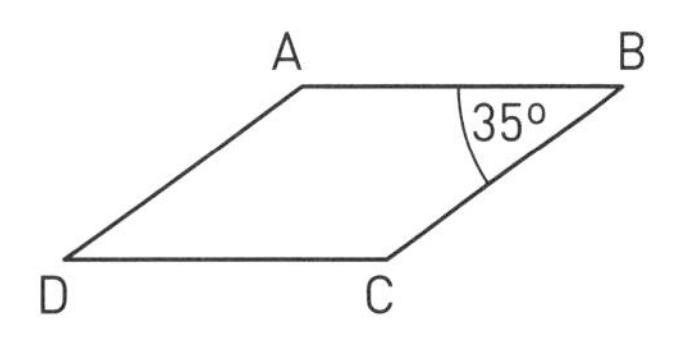


**Ateb**

Ongl D = 35° (ochrau cyferbyn rhombws yn hafal)

Ongl A = 180° − 35° = 145° (onglau atodol yn adio i 180°) ❷

Ongl C = 145° (onglau cyferbyn yn hafal)

**ch** Cyfrifwch $x$.

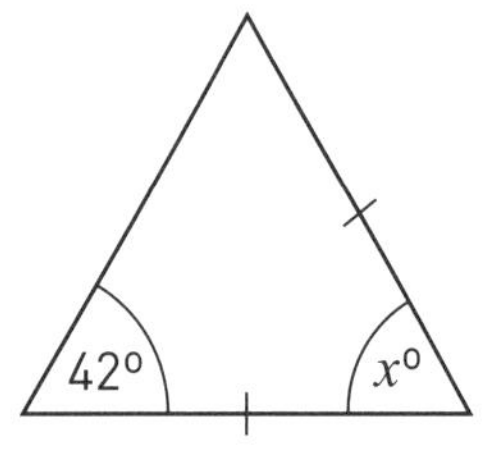


**Ateb**

180° − 42° = 138°

$x° = \frac{1}{2}$ o 138°

= 69°

### Cyngor

Bydd angen defnyddio'r marciau hyn i ddangos priodweddau siapiau.

### Cyngor

Bydd angen dysgu holl briodweddau pob math o bedrochr.

### Termau allweddol

Pedrochr
Sgwâr
Petryal
Paralelogram
Trapesiwm
Barcut
Rhombws
Croeslin

## Cwestiynau dull arholiad

1 Trapesiwm isosgeles yw PQRS.
Cyfrifwch beth yw gwerthoedd $x$ ac $y$. **[2]**

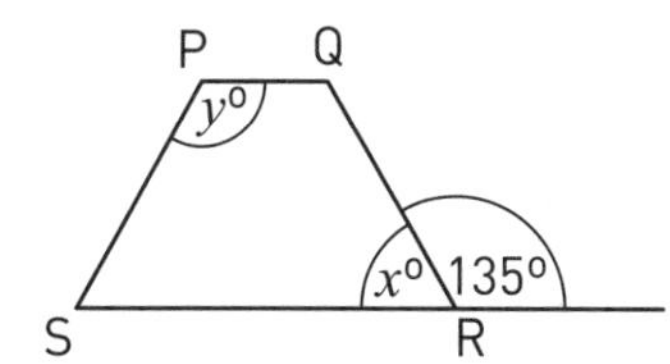


2 Pedrochr yw ABCD.
Mae AB ac CD yn baralel ac yn hafal. Ongl A = Ongl C. AC = 2BD.
Pa fath o bedrochr yw ABCD? **[1]**

3 Cyfrifwch $y$.

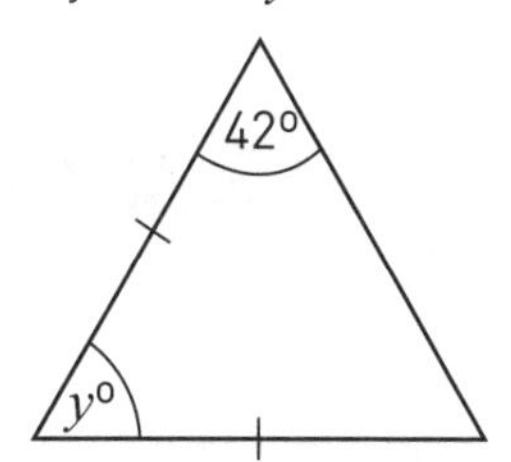


**Cyngor**

Lluniadu braslun o'r pedrochr yn dangos ei briodweddau.

ATEBION WEDI'U GWIRIO

# Onglau a llinellau paralel

WEDI'I ADOLYGU ☐

**CANOLIG**

## Rheolau

1. Mae llinellau sydd yr un pellter i ffwrdd oddi wrth ei gilydd yn cael eu galw'n llinellau paralel.
2. Mae onglau cyfatebol yn hafal.
3. Mae onglau eiledol yn hafal.
4. Mae onglau atodol yn adio i 180°.
5. Mae onglau croesfertigol yn hafal.

## Enghreifftiau

**a** Darganfyddwch beth yw maint pob ongl sydd â llythyren a rhowch reswm dros eich ateb.

**Ateb**

$a$ = 57° (onglau ar linell syth yn adio i 180°)

$b$ = 57° (onglau eiledol yn hafal) ❸

$c$ = 123° (onglau croesfertigol yn hafal, onglau atodol yn adio i 180°)

**b** Darganfyddwch beth yw maint pob ongl sydd â llythyren.

**Ateb**

$s$ = 32° (mae 32° ac $s$ yn onglau cyfatebol) ❷

$t$ = 148° (mae $s$ a $t$ yn onglau atodol) ❹

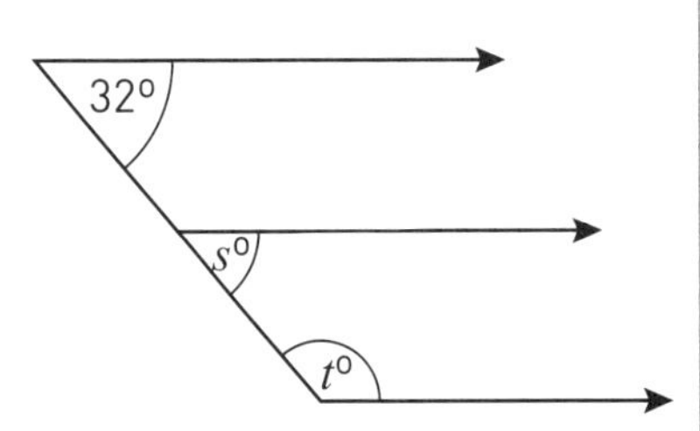


## Termau allweddol

- Paralel
- Cyfatebol
- Eiledol
- Atodol
- Croesfertigol

## Cwestiynau dull arholiad

1 Mae AB yn baralel i CD. Ysgrifennwch beth yw gwerthoedd $x$ ac $y$ a rhowch resymau dros eich atebion. **[2]**

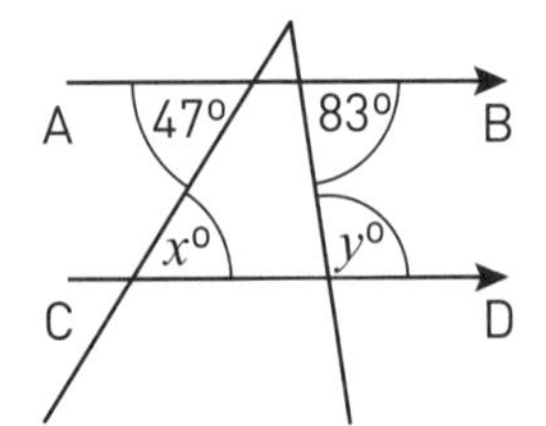


2 Mae PQ ac RS yn llinellau paralel. Cyfrifwch beth yw gwerth $x$. **[1]**

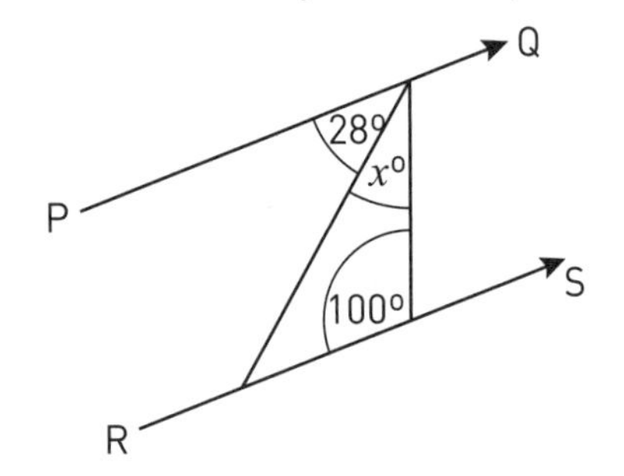


## Cyngor

Gwneud yn siŵr eich bod yn rhoi esboniadau neu resymau llawn os yw'n ofynnol,

e.e. peidio ag ysgrifennu dim ond 'onglau eiledol', ysgrifennu 'onglau eiledol yn hafal'.

ATEBION WEDI'U GWIRIO ☐

# Onglau mewn polygon

WEDI'I ADOLYGU

**UCHEL**

## Rheolau

1. Ongl fewnol yw'r ongl y tu mewn i'r polygon.
2. Swm holl onglau mewnol polygon sydd ag $n$ ochr yw $180(n - 2)°$.
3. Ongl allanol yw'r ongl y tu allan i'r polygon.
4. Swm holl onglau allanol polygon yw 360°.
5. Ongl allanol + ongl fewnol = 180°.
6. Mewn polygon rheolaidd mae'r holl onglau mewnol yn hafal ac mae'r holl onglau allanol yn hafal.

## Enghreifftiau

**a** Cyfrifwch beth yw maint ongl allanol polygon rheolaidd sydd ag 18 ochr.

**Ateb**

Ongl allanol = 360° ÷ 18 (rhannu 360° â nifer yr ochrau)
= 20° ❹

**b** Swm onglau mewnol polygon rheolaidd yw 720°.

i Sawl ochr sydd gan y polygon?

ii Beth yw maint ongl allanol y polygon?

**Ateb**

i $180(n - 2) = 720$ ❷

$n - 2 = \frac{720}{180}$

$n - 2 = 4$; $n = 6$, felly mae gan y polygon 6 ochr.

ii ongl allanol = 360° ÷ 6 = 60° ❹ ❻
ongl allanol = 180° − 120° = 60° ❺

**c** Esboniwch pam nad yw pentagon rheolaidd yn brithweithio.

**Ateb**

Swm onglau mewnol pentagon = $180(5 - 2)°$ ❷ = 540°,
felly mae pob ongl fewnol = 108° ❻

Ni fydd pentagonau rheolaidd yn brithweithio oherwydd nad yw 360 yn gallu cael ei rannu ag 108 yn union a bydd bylchau rhwng y siapiau.

## Termau allweddol

- Polygon rheolaidd
- Ongl fewnol
- Ongl allanol
- Pentagon
- Hecsagon
- Heptagon
- Octagon
- Decagon

## Cwestiynau dull arholiad

1 Mae'r diagram yn dangos octagon rheolaidd a phentagon rheolaidd wedi'u cysylltu ar hyd un ymyl. Cyfrifwch beth yw gwerth $x$. **[3]**

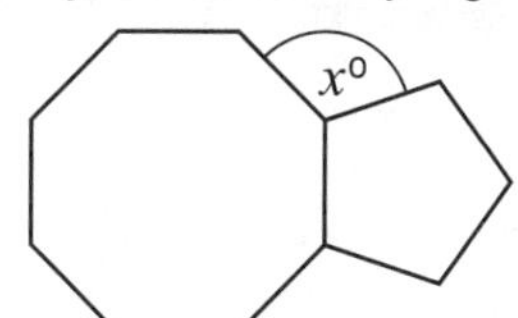


2 Yr ochrau AB, BC ac CD yw 3 o ochrau polygon rheolaidd sydd ag $n$ ochr. Cyfrifwch beth yw gwerthoedd $m$ ac $n$. Rhaid i chi roi rhesymau dros eich atebion. **[4]**

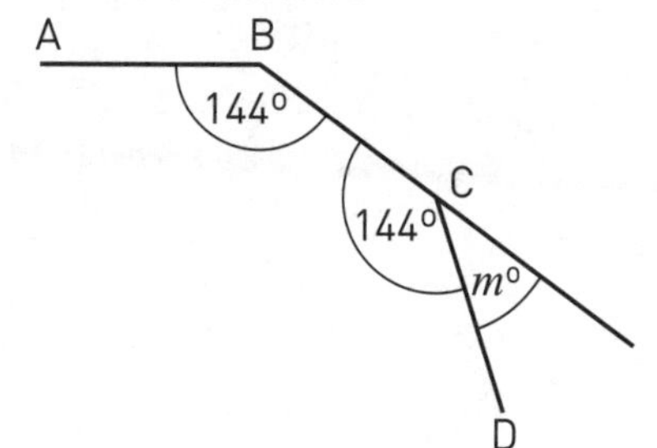


## Cyngor

Mae angen dysgu enwau a phriodweddau pob un o'r polygonau rheolaidd.

Gwneud yn siŵr eich bod yn rhoi rhesymau os yw'n ofynnol. Fyddwch chi ddim yn cael rhai marciau neu'r marciau i gyd hebddyn nhw.

ATEBION WEDI'U GWIRIO

# Darganfod arwynebedd a pherimedr

WEDI'I ADOLYGU ☐

UCHEL

**Rheolau**

❶ Darganfod arwynebedd drwy luosi dau hyd.
❷ Perimedr yw'r hyd o amgylch siâp. Darganfod perimedr siâp drwy adio ei hydoedd.

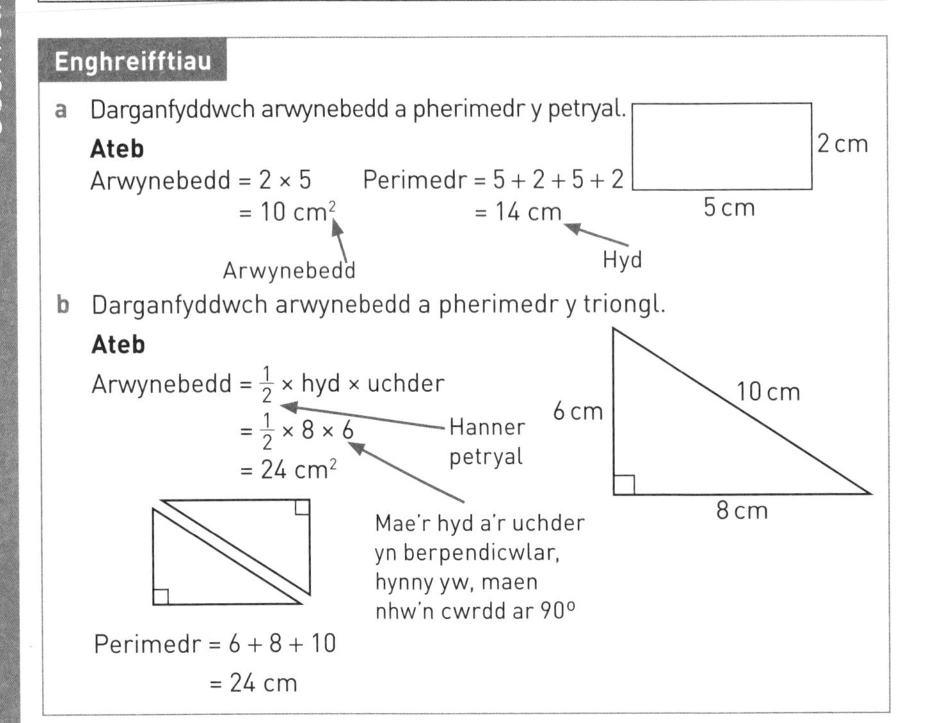

**Enghreifftiau**

**a** Darganfyddwch arwynebedd a pherimedr y petryal.

**Ateb**

Arwynebedd $= 2 \times 5$
$= 10\ \text{cm}^2$

Perimedr $= 5 + 2 + 5 + 2$
$= 14\ \text{cm}$



**b** Darganfyddwch arwynebedd a pherimedr y triongl.

**Ateb**

Arwynebedd $= \frac{1}{2} \times \text{hyd} \times \text{uchder}$
$= \frac{1}{2} \times 8 \times 6$
$= 24\ \text{cm}^2$



Perimedr $= 6 + 8 + 10$
$= 24\ \text{cm}$

**Cwestiynau dull arholiad**

1 Darganfyddwch arwynebedd a pherimedr y triongl.

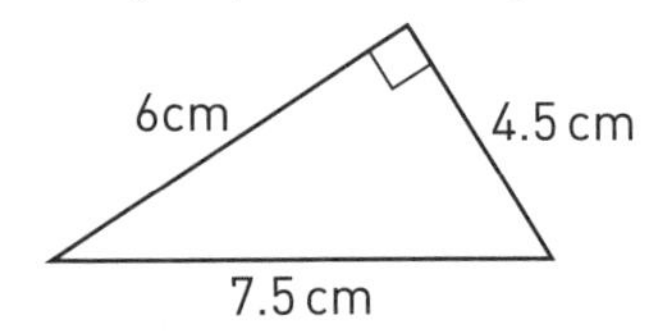


2 Darganfyddwch arwynebedd y paralelogram.

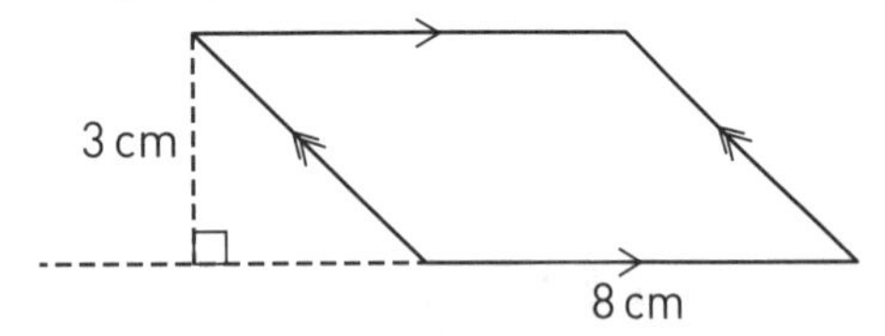


ATEBION WEDI'U GWIRIO ☐

# Cylchedd ac arwynebedd cylchoedd

WEDI'I ADOLYGU

UCHEL



**Rheolau**

1. Cylchedd, $C$, cylch sydd â'i ddiamedr yn $d$ yw $C = \pi d$.
2. Cylchedd, $C$, cylch sydd â'i radws yn $r$ yw $C = 2\pi r$.
3. Bras werth $\pi$ yw 3.14 neu gallwch ddefnyddio'r botwm $\pi$ ar eich cyfrifiannell.
4. Arwynebedd, $A$, cylch sydd â'i radiws yn $r$ yw $A = \pi r^2$.

**Termau allweddol**

Cylchedd

Diamedr

Radiws

Pi

$\pi$

Perimedr

**Enghreifftiau**

**a** Darganfyddwch **i** arwynebedd **ii** cylchedd cylch sydd â'i ddiamedr yn 6 cm.

**Ateb**

i $A = \pi r^2$ ❹
$A = \pi \times 3 \times 3$
$A = 28.27$
$A = 28.27\,\text{cm}^2$ i 2 le degol

ii $C = \pi d$ ❶
$C = \pi \times 6$
$C = 18.849$ ❸ (defnyddio'r botwm $\pi$ ar eich cyfrifiannell)
$C = 18.85\,\text{cm}^2$ i 2 le degol

**b** Darganfyddwch beth yw diamedr cylch sydd â'i gylchedd yn 25 mm.

**Ateb**

$C = \pi d$ ❶
$C \div \pi = d$
$25 \div \pi = d$ (rhannu'r ddwy ochr â $\pi$)
$7.957 = d$
$d = 7.96$ mm i 3 ffigur ystyrlon

**c** Darganfyddwch beth yw perimedr, $p$, ac arwynebedd, $A$, y siâp hwn.

**Ateb**

perimedr y siâp $= \frac{3}{4} \times 2\pi r + 2r$
$p = (0.75 \times 2 \times \pi \times 4) + (2 \times 4)$
$p = 18.849... + 8$
$p = 26.85$ cm i 2 le degol
$A = \frac{3}{4}\pi r^2$
$A = \frac{3}{4} \times \pi \times 4 \times 4$
$A = 37.7\,\text{cm}^2$ i 3 ffigur ystyrlon

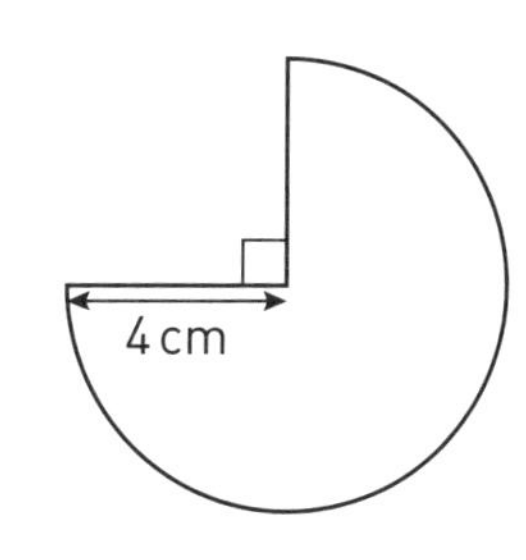


**Cyngor**

Ysgrifennu'r gwerth heb ei dalgrynnu o'ch cyfrifiannell bob amser cyn talgrynnu.

Rhoi ateb i 3 ffigur ystyrlon oni bai bod y cwestiwn yn dweud fel arall.

**Cyngor**

Dangos pob cam o'ch gwaith cyfrifo bob amser.

Cofio cynnwys unedau yn eich ateb.

**Cwestiynau dull arholiad**

1 Diamedr olwyn flaen berfa yw 20 cm.
Mae garddwr yn defnyddio'r ferfa i symud pridd 50 m.
Sawl gwaith bydd yr olwyn flaen yn cylchdroi yn ystod y symudiad? **[3]**

2 Mae'r diagram yn dangos ffenestr. Mae'r ffenestr yn cynnwys petryal a hanner cylch.
Perimedr y ffenestr yw 30 m.
  a Cyfrifwch beth yw gwerth $x$.
  b Cyfrifwch arwynebedd y ffenestr. **[4]**

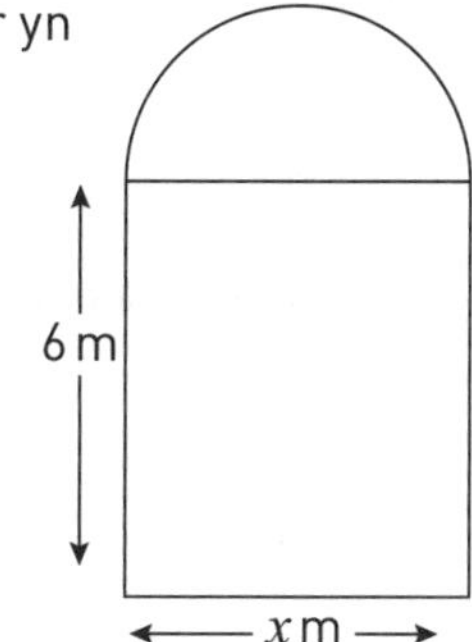


ATEBION WEDI'U GWIRIO

# Cwestiynau dull arholiad cymysg

**1** Mae rysáit yn gofyn am $\frac{1}{2}$kg blawd a $\frac{1}{4}$kg menyn.
Beth yw'r gwerthoedd cyfatebol mewn pwysi? **[2]**

**2** Mae'r diagram yn dangos safle dau bentref.
Mae Redford ar gyfeiriant o 050° oddi wrth Brownhills.
Mae Karen yn cerdded o Brownhills i Redford.
Mae hi'n cerdded ar fuanedd cyfartalog o 6 km/awr.
Mae hi'n cymryd 1 awr 30 munud i gwblhau'r pellter.

**a** Cyfrifwch y pellter rhwng Brownhills a Redford. **[2]**
**b** Gan ddefnyddio'r raddfa 1 cm i 4 km, gwnewch luniad manwl gywir wrth raddfa yn dangos safle'r ddau bentref. **[3]**

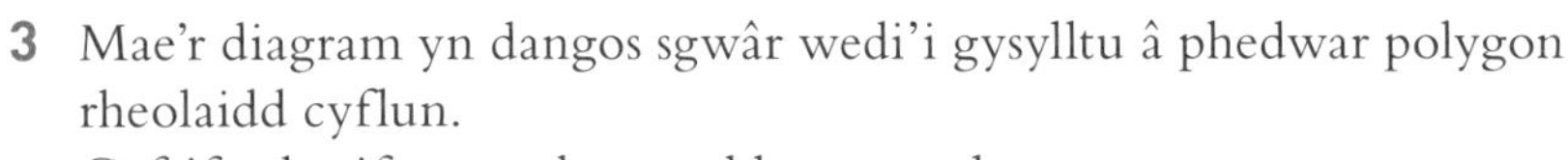

**3** Mae'r diagram yn dangos sgwâr wedi'i gysylltu â phedwar polygon rheolaidd cyflun.
Cyfrifwch nifer yr ochrau sydd gan y polygonau. **[3]**

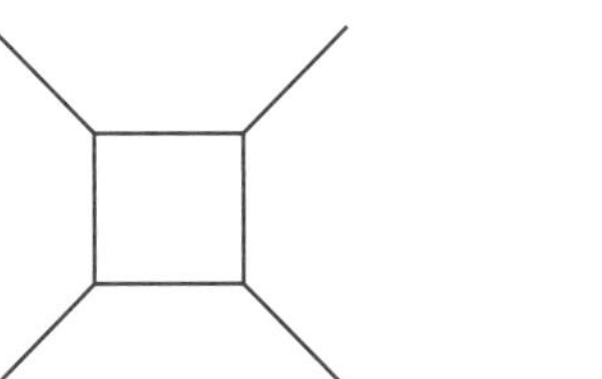

**4** Diamedr yr olwyn sydd ar feic yw 70 cm.
Mae John yn beicio 15 km ar y beic.

**a** Faint o gylchroeon bydd yr olwyn yn eu gwneud yn ystod y daith? **[4]**
**b** Mae'r daith yn cymryd 1 awr 20 munud i John. Cyfrifwch beth yw buanedd cyfartalog John. **[2]**

**5** Cyfrifwch arwynebedd y triongl A, y petryal B a'r triongl C. **[4]**

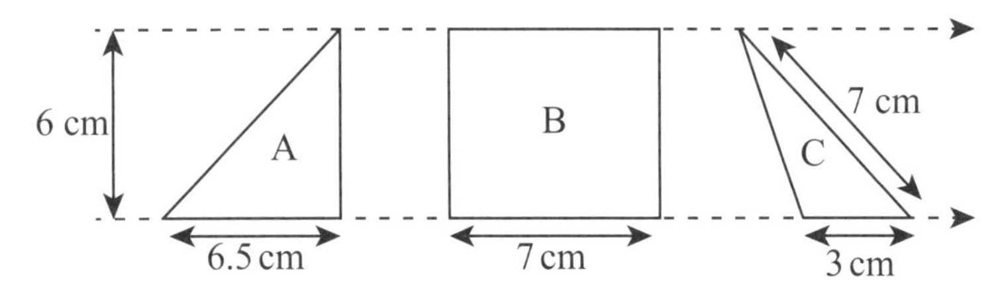


**6** Mae'r diagram yn dangos uwcholwg dyluniad gardd.
Mae pwll crwn sydd â'i ddiamedr yn 1.5 m yn cael ei gloddio yn y lawnt.
Mae canol y pwll yng nghanol y lawnt.

**a** Gwnewch ddiagram manwl gywir wrth raddfa yn dangos yr uwcholwg gan ddefnyddio'r raddfa 2 cm : 1 m. **[4]**
**b** Cyfrifwch arwynebedd y lawnt. **[4]**

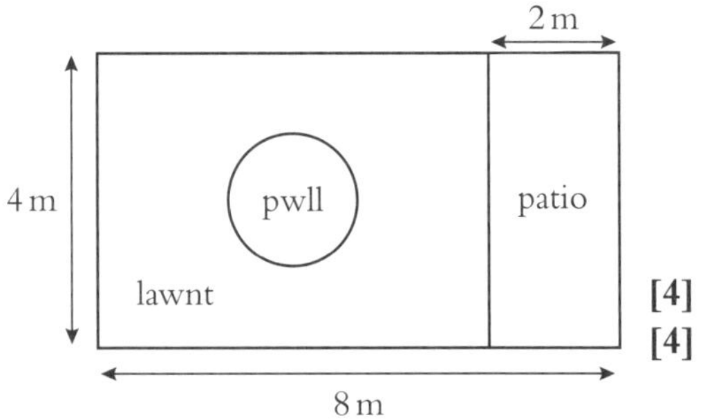

# Lluniadau â chwmpas ac â phren mesur ac onglydd

WEDI'I ADOLYGU

UCHEL

**Rheolau**

Mae'n bosibl defnyddio cwmpas a phren mesur i lunio'r canlynol:

1. Triongl o wybod yr ochrau
2. Hanerydd llinell
3. Hanerydd ongl
4. Y perpendicwlar o bwynt i linell.

**Enghreifftiau**

**a** Gan ddefnyddio pren mesur, pensil a chwmpas gwnewch luniad manwl gywir o'r triongl ABC.

**Ateb**

Tynnu'r llinell AB 6.7 cm gan ddefnyddio pren mesur.

Llunio perpendicwlar yn y pwynt B. ❹

Llunio perpendicwlar yn y pwynt A. ❹

Haneru'r ongl yn A. ❸

Estyn hanerydd yr ongl o A a'r perpendicwlar yn B nes iddyn nhw gwrdd yn C.

**b** Gan ddefnyddio pren mesur a chwmpas, gwnewch luniad manwl gywir o PQR.

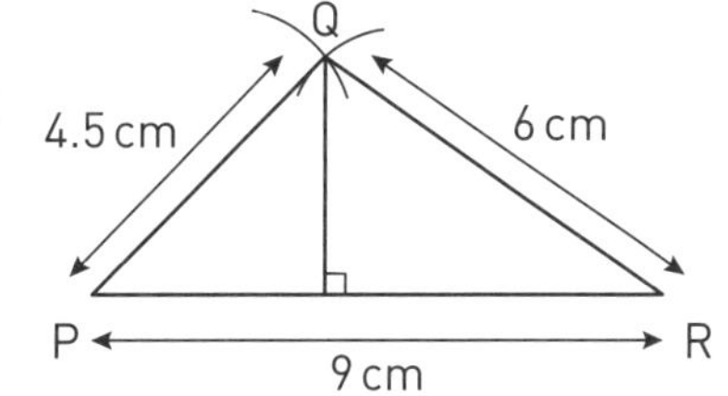


**Ateb**

Tynnu'r llinell PR 9 cm gan ddefnyddio pren mesur. ❶

Defnyddio cwmpas â'r lled yn 4.5 cm yn P i luniadu arc yn Q.

Defnyddio cwmpas â'r lled yn 6 cm yn R i luniadu arc i groestorri yn Q.

Tynnu'r llinellau PQ ac RQ.

Llunio'r perpendicwlar o Q i PR. ❹

**c** Gwnewch luniad manwl gywir o'r triongl a mesurwch ongl $x$.

**Ateb**

Defnyddio pren mesur i dynnu llinell sydd â'i hyd yn 8 cm.

Tynnu'r llinellau o ddau ben y llinell hon.

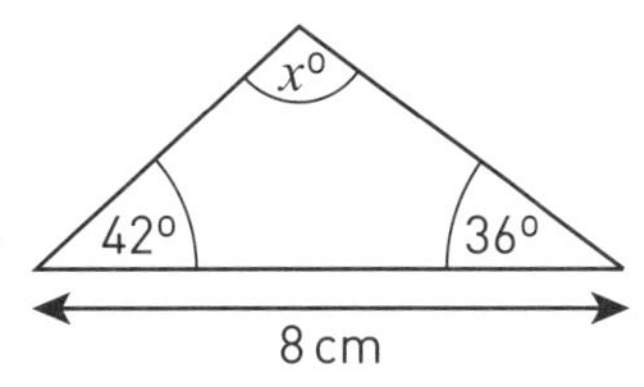


$x = 100$

**Cyngor**

Darllen y cwestiwn yn ofalus i wirio pa gyfarpar gallwch ei ddefnyddio.

Rhaid i chi ddangos eich holl linellau llunio, **peidiwch** â'u dileu nhw.

**Termau allweddol**

Arc

Hanerydd

Perpendicwlar

**Gofal**

Gwneud yn siŵr bod eich holl fesuriadau yn fanwl gywir iawn; onglau o fewn 2° a hydoedd o fewn 1 mm. Byddwch chi'n colli marciau am anghywirdeb.

## Cwestiynau dull arholiad

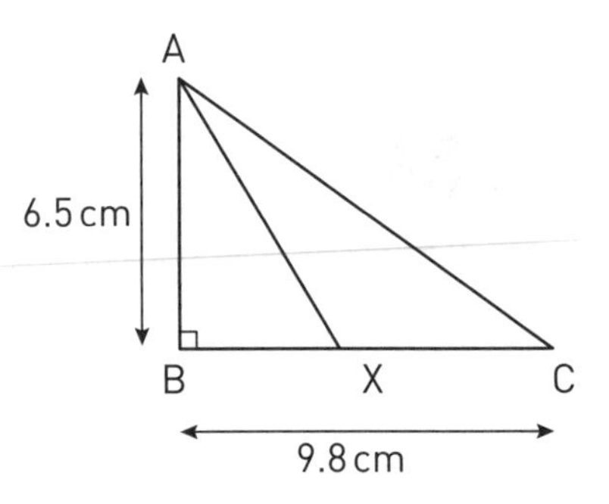


1 a Gan ddefnyddio pren mesur, pensil a chwmpas, gwnewch luniad manwl gywir o'r triongl ABC. **[3]**

Mae'r llinell AX yn haneru'r ongl BAC.

b Lluniwch y llinell AX. **[2]**

c Mesurwch y pellter BX. **[1]**

2 Gan ddefnyddio pren mesur, pensil a chwmpas, lluniwch y triongl XYZ fel bod XY = 9 cm, YZ = 6.5 cm ac XZ = 7 cm. **[3]**

3 a Tynnwch linell lorweddol PQ â'i hyd yn 9 cm. Gan ddefnyddio cwmpas yn unig, lluniwch hanerydd perpendicwlar y llinell PQ. Marciwch y pwynt X lle mae'r hanerydd yn croesi'r llinell PQ. **[2]**

b Marciwch y pwynt S ar yr hanerydd perpendicwlar fel bod SX = 5.7 cm. **[1]**

c Mesurwch yr ongl SPQ. **[1]**

ATEBION WEDI'U GWIRIO ☐

# Trawsfudo, adlewyrchu a chylchdroi

WEDI'I ADOLYGU

**UCHEL**

## Rheolau

1. Mewn trawsfudiad dydy cyfeiriadaeth y siâp ddim yn newid. Mae'n cael ei godi a'i ollwng rywle arall heb droi. Y gwerth ar draws sy'n cael ei roi gyntaf bob amser: mae gwerth positif yn golygu dilyn cyfeiriad yr echelin; mae gwerth negatif yn golygu'r gwrthwyneb.
2. Mewn adlewyrchiad mae'r siâp yn cael ei ddrychweddu (*mirrored*) mewn llinell. Ystyriwch y llinell ddrych fel plyg a'r siâp gwreiddiol fel inc gwlyb. Yr adlewyrchiad yw'r siâp byddai'r inc gwlyb yn ei wneud ar ochr arall y papur o'i blygu ar hyd y llinell ddrych.
3. Mewn cylchdro o amgylch pwynt bydd y siâp yn troi. Bydd y cwestiwn yn rhoi pwynt lle mae'r tro wedi'i ganoli. Dargopïo'r echelinau a'r siâp, rhoi eich pensil ar ganol y cylchdro a throi'r papur dargopïo, edrych ble dylai'r siâp wedi'i gylchdroi gael ei luniadu. Ni fydd yr echelinau ar yr echelinau gwreiddiol, oni bai bod y cylchdro o amgylch (0, 0) sef y tarddbwynt. Mae'r echelinau wedi'u dargopïo i'w cael yn fertigol ac yn llorweddol os yw'r cylchdro trwy 90° neu 180°.
4. Mae troeon yn cael eu rhoi fel clocwedd neu wrthglocwedd gydag ongl mewn graddau. Clocwedd yw'r cyfeiriad mae'r bysedd ar gloc yn troi, a gwrthglocwedd yw'r cyfeiriad arall.

## Enghraifft

Mae'r triongl *A* wedi'i luniadu ar grid sgwariau gyda'r echelinau wedi'u labelu.

i Trawsfudwch y triongl *A* $\begin{pmatrix}2\\3\end{pmatrix}$, labelwch y ddelwedd yn *B*.

ii Adlewyrchwch y triongl *A* yn y llinell $y = -2$, labelwch y ddelwedd yn *C*.

iii Cylchdrowch y triongl *A* trwy 90° yn wrthglocwedd o amgylch y pwynt sydd â'r cyfesurynnau (0, −1), labelwch y ddelwedd yn *D*.

**Ateb**

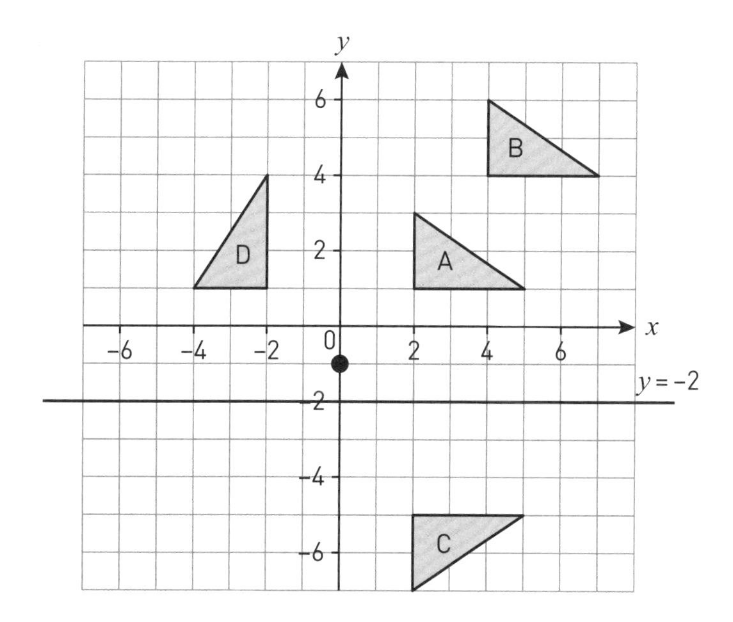


i Mae'r triongl *A* wedi cael ei godi a'i symud 2 ar draws i'r dde a 3 i fyny.

ii Tynnu'r llinell $y = -2$ drwy ddarganfod −2 wedi'i labelu ar yr echelin-*y* a thynnu llinell lorweddol drwy'r pwynt hwn. Dyma'r llinell ddrych, neu'r llinell adlewyrchiad. Mae llinell sail y triongl *A* yn 3 sgwâr i ffwrdd o'r llinell $y = -2$, felly rhaid i'r ddelwedd fod yr un fath. Cofio'r plyg fel bod triongl y ddelwedd wyneb i waered.

iii Yn gyntaf marcio'r pwynt (0, −1). Rhoi papur dargopïo dros y grid sgwariau. Dargopïo'r triongl *A* a'r echelinau. Rhoi pwynt eich pensil ar (0, −1), nawr troi'r papur dargopïo 90° yn wrthglocwedd.

## Termau allweddol

Gwrthglocwedd
Clocwedd
Cyfesurynnau
Delwedd
Llinell ddrych
Cyfeiriadaeth
Perpendicwlar
Adlewyrchiad
Cylchdro
Trawsfudiad
Fertig

## Cwestiwn dull arholiad

1 Mae'r triongl *A* wedi'i luniadu ar grid sgwariau gyda'r echelinau wedi'u labelu.

i Trawsfudwch y triongl *A* $\begin{pmatrix}-3\\-8\end{pmatrix}$, labelwch y ddelwedd yn *B*.

ii Adlewyrchwch y triongl *A* yn y llinell $x = -y$, labelwch y ddelwedd yn *C*.

iii Cylchdrowch y triongl *A* trwy 90° yn glocwedd o amgylch y pwynt sydd â'r cyfesurynnau (2, 0), labelwch y ddelwedd yn *D*.

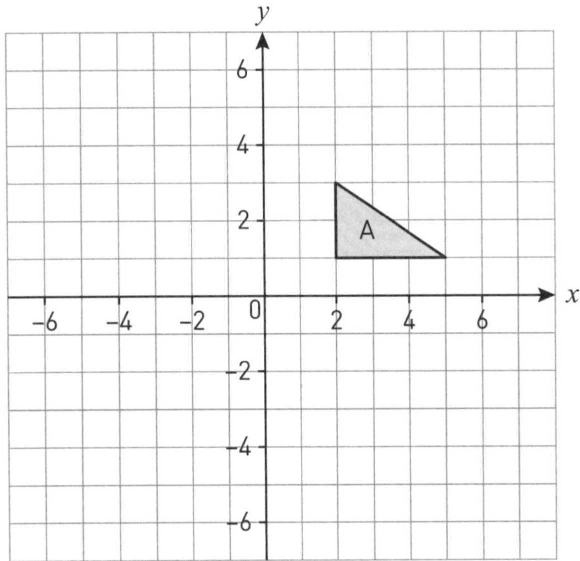


ATEBION WEDI'U GWIRIO

### Cyngor

Cofio gofyn am bapur dargopïo i luniadu cylchdro.

Os yw cwestiwn yn gofyn am adlewyrchu yn y llinell $y = x$ neu $y = -x$, gwirio drwy blygu eich papur arholiad fel bod y ddelwedd yn y gyfeiriadaeth gywir.

Gallwch wirio drwy dynnu llinellau toredig yn berpendicwlar i'r llinell ddrych o bob fertig o'r siâp gwreiddiol.

# Helaethu

WEDI'I ADOLYGU

UCHEL

**Rheolau**

1. Mae helaethiadau'n cael eu disgrifio gan ddefnyddio ffactor graddfa a chanol yr helaethiad.
2. Y ffactor graddfa yw faint mae'r siâp wedi cael ei helaethu ac rydyn ni'n gallu ei ddarganfod drwy rannu hyd un o ochrau'r ddelwedd â hyd ochr gyfatebol y gwrthrych.
3. Os yw'r ddelwedd yn llai na'r gwrthrych, bydd y ffactor graddfa ar gyfer yr helaethiad yn ffracsiwn.

**Termau allweddol**

Gwrthrych

Delwedd

Ffactor graddfa

Canol yr helaethiad

Mapio

**Enghreifftiau**

a Plotiwch y pwyntiau A(2,1), B(4,4), C(5,2) ar set o echelinau. Cysylltwch y pwyntiau i ffurfio triongl. ❶ Helaethwch y triongl yn ôl ffactor graddfa 2, gan ddefnyddio (0,0) fel canol yr helaethiad. Labelwch bwyntiau eich delwedd yn A′ B′ C′.

**Ateb**

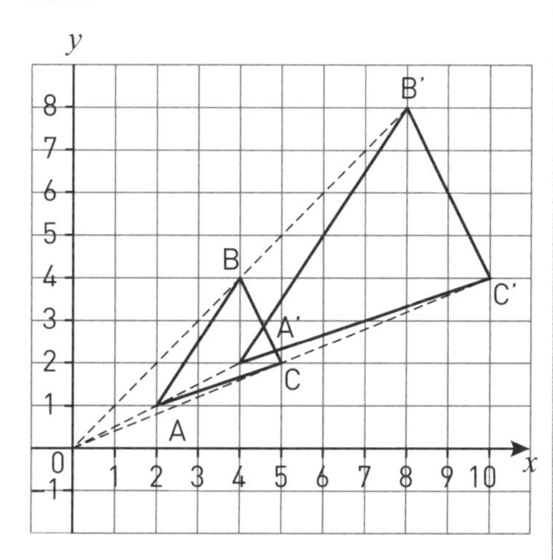


b Disgrifiwch yn llawn y trawsffurfiad sy'n mapio siâp A ar ben siâp B.

**Ateb**

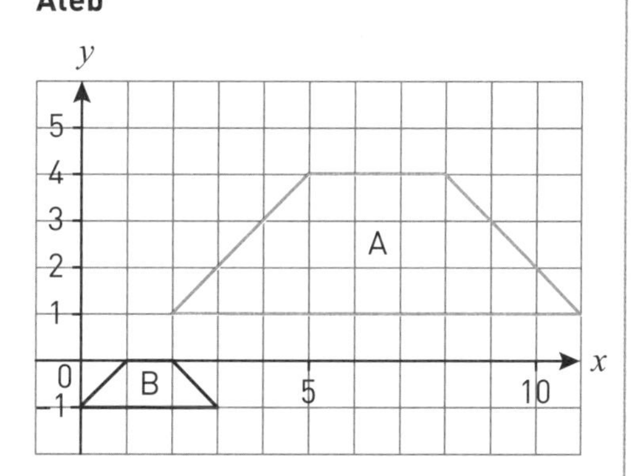


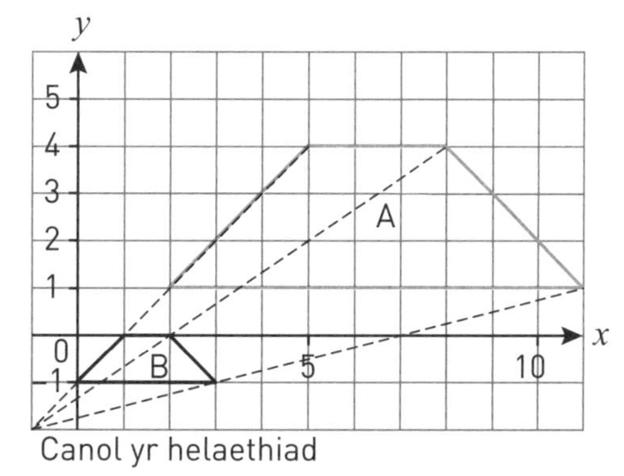


Canol yr helaethiad

Helaethiad, ffactor graddfa = $3 \div 9 = \frac{1}{3}$ ❷ ❸

Canol yr helaethiad = (−1, −2)

**Cyngor**

Pan fydd gofyn i chi wneud helaethiad, gwneud yn siŵr bod yr ochrau cyfatebol yn baralel.

**Cofio**

I ddarganfod **canol helaethiad**, cysylltu pwyntiau cyfatebol y gwrthrych a'r ddelwedd â llinellau syth.

Canol yr helaethiad yw lle mae'r holl linellau'n croesi.

## Cwestiynau dull arholiad

1 Disgrifiwch yn llawn y trawsffurfiad sy'n mapio siâp A ar ben siâp B. **[2]**

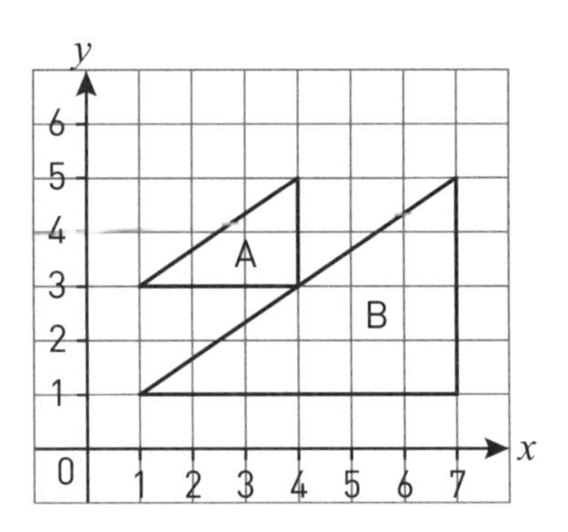


2 Copïwch y diagram.
Helaethwch y siâp Q yn ôl ffactor graddfa $\frac{1}{2}$.
Canol yr helaethiad yw (0,0).
Labelwch eich ateb yn P.

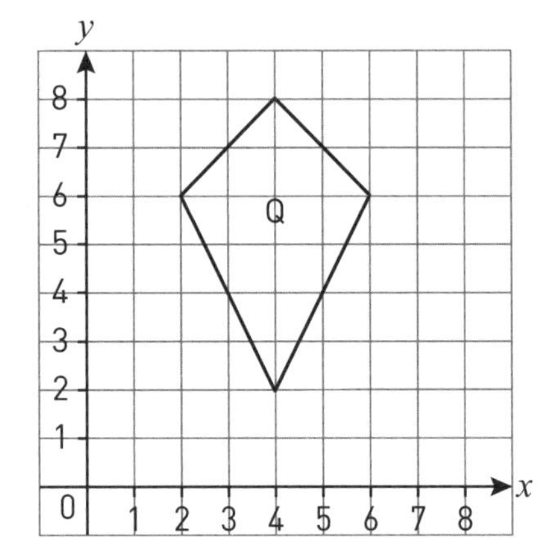


ATEBION WEDI'U GWIRIO

# Darganfod canolau cylchdro

WEDI'I ADOLYGU

**UCHEL**



## Rheolau

1. I ddisgrifio cylchdro yn llawn mae angen nodi cyfeiriad, ongl a chanol y cylchdro.
2. Canol cylchdro yw lle mae haneryddion perpendicwlar y llinellau sy'n cysylltu pwyntiau cyfatebol y ddelwedd a'r gwrthrych yn croesi.

## Enghreifftiau

**a** Disgrifiwch y cylchdro sy'n mapio

i A → B
ii A → C
iii A → D

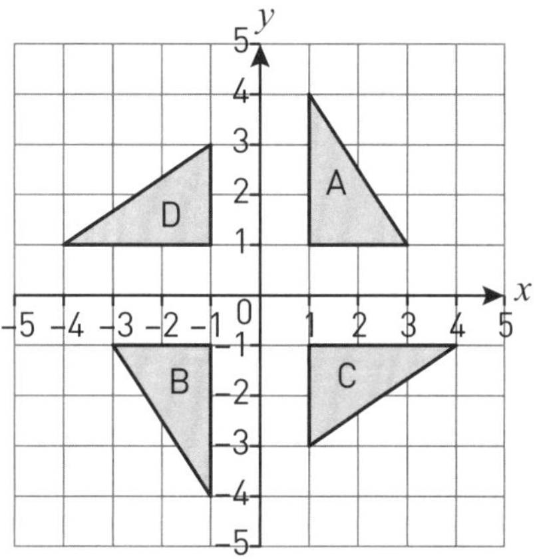


**Ateb**

i cylchdro 180° yn glocwedd o amgylch (0,0) ❶
ii cylchdro 90° yn glocwedd o amgylch (0,0) ❶
iii cylchdro 90° yn wrthglocwedd o amgylch (0,0) ❶

**b** Mae'r ddelwedd P wedi cael ei chylchdroi i ffurfio'r ddelwedd Q.

i Darganfyddwch ganol y cylchdro sy'n mapio P ar ben Q.
ii Disgrifiwch y trawsffurfiad yn llawn.

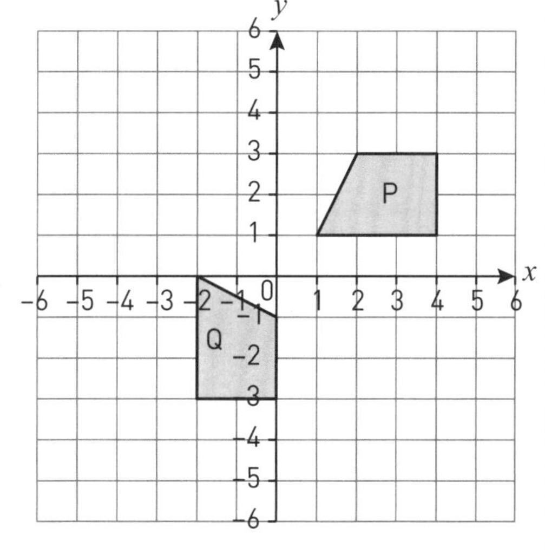


**Ateb**

i Canol y cylchdro yw (−1,2) ❶
ii Cylchdro 180° yn glocwedd o amgylch (−1,2) ❷

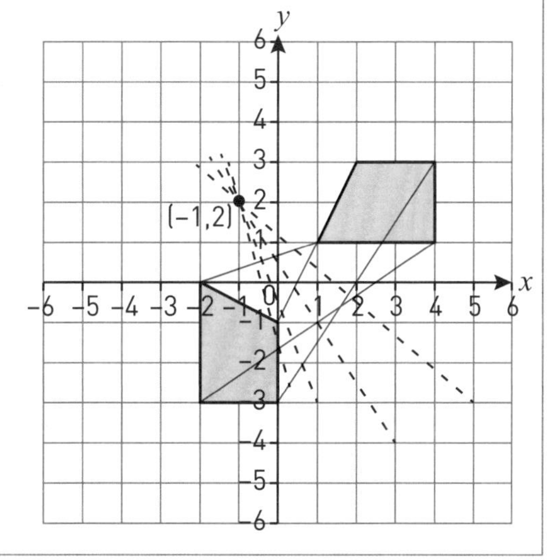


## Termau allweddol

Termau allweddol
Trawsffurfiad
Cylchdro
Canol cylchdro
Clocwedd
Gwrthglocwedd

## Cyngor

Dylech adael y llinellau rydych chi'n eu defnyddio i ddarganfod canol y cylchdro yn eich ateb, oherwydd gallech gael rhai marciau amdanyn nhw os byddwch chi'n gwneud camgymeriad yn nes ymlaen.

## Cofio

Cofio ysgrifennu eich ateb ar ôl darganfod canol cylchdro.

## Cwestiynau dull arholiad

1 Mae'r pedrochr A wedi cael ei gylchdroi i'r safle B.

a Darganfyddwch ganol y cylchdro sy'n mapio pedrochr A ar ben pedrochr B. **[2]**

b Disgrifiwch yn llawn y trawsffurfiad sy'n mapio pedrochr A ar ben pedrochr B. **[2]**

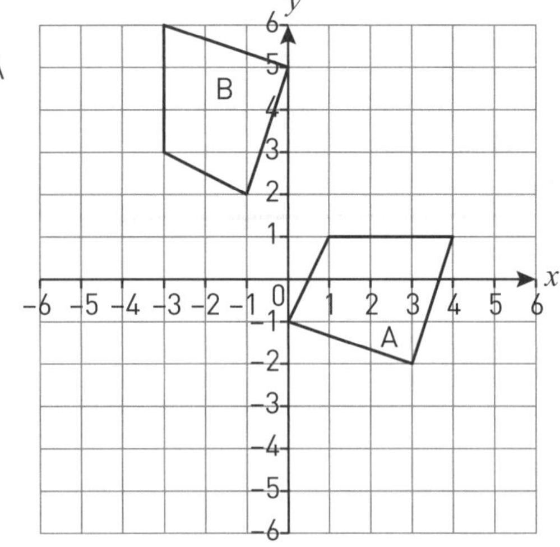


ATEBION WEDI'U GWIRIO

# Deall rhwydi a chynrychioliadau 2D o siapiau 3D

WEDI'I ADOLYGU

**UCHEL**

## Rheolau

1. Mae'n bosibl plygu rhwydi 2D i wneud siapiau 3D gwag.
2. Uwcholwg siâp 3D yw'r golwg oddi uchod.
3. Blaenolwg siâp 3D yw'r golwg o'r blaen, ochrolwg yw'r golwg o'r ochr.
4. Mae'n bosibl defnyddio papur isometrig i wneud lluniadau manwl gywir o siapiau 3D.

## Enghreifftiau

**a** Gwnewch fraslun o rwyd y silindr hwn.

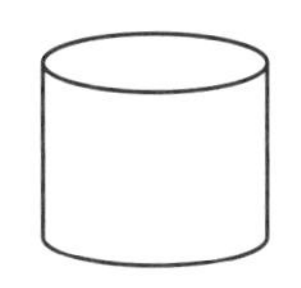

**Ateb**

Mae rhwyd silindr yn cynnwys petryal a 2 gylch. ❶

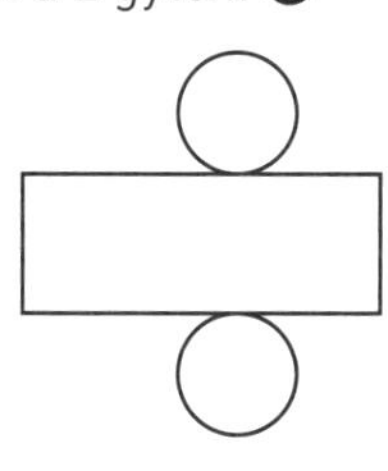

**b** Ar bapur sgwariau lluniadwch uwcholwg a blaenolwg y siâp sydd i'w weld isod. ❹

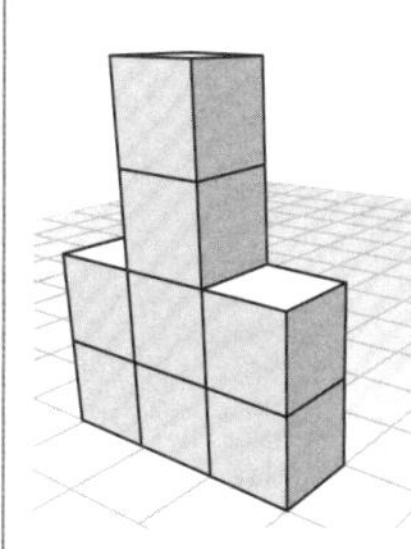

**Ateb**

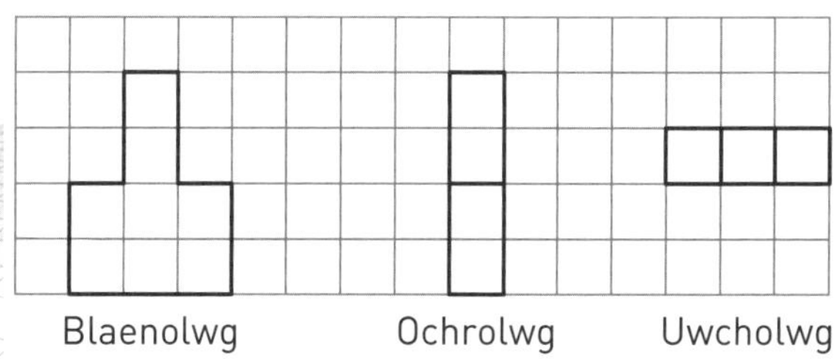


## Termau allweddol

Rhwyd

Siâp 2D

Siâp 3D

Golwg

Uwcholwg

Isometrig

## Cyngor

Byddai'n ddefnyddiol dysgu siapiau rhwydi ciwboid, pyramid, prism a silindr.

## Gofal

Dylai papur isometrig wynebu'r ffordd iawn, gyda llinellau fertigol a dim llinellau llorweddol.

## Cwestiynau dull arholiad

1 Mae'r uwcholwg, y blaenolwg a'r ochrolwg ar gyfer prism i'w gweld isod. Ar bapur isometrig lluniadwch gynrychioliad 3D o'r prism. **[3]**

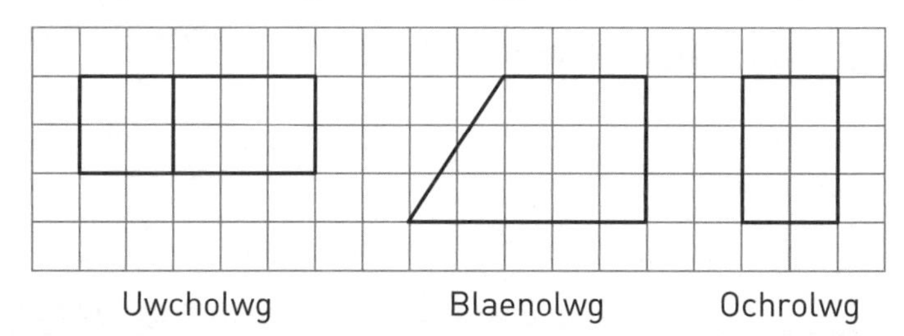


2 Mae'r diagram yn dangos pyramid sylfaen sgwâr. Gwnewch luniad manwl gywir o rwyd y pyramid. **[5]**

## Gofal

Os yw cwestiwn yn gofyn i chi wneud lluniad manwl gywir o rwyd, bydd angen defnyddio pren mesur a/neu gwmpas.

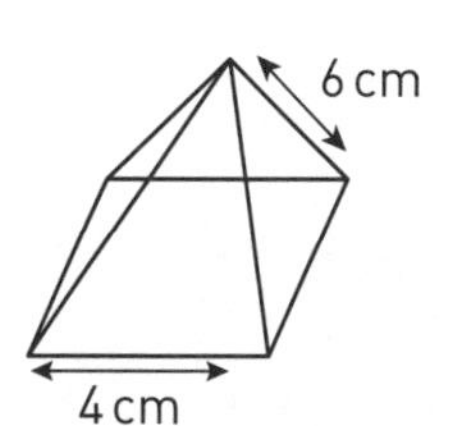


ATEBION WEDI'U GWIRIO

# Cyfaint ac arwynebedd arwyneb ciwboidau a phrismau

WEDI'I ADOLYGU

UCHEL

## Rheolau

1. Cyfaint ciwboid = hyd × lled × uchder
2. Arwynebedd arwyneb ciwboid = 2 × (arwynebedd y sylfaen + arwynebedd un ochr + arwynebedd y blaen)
3. Cyfaint prism = arwynebedd trawstoriad × uchder (neu hyd)
4. Arwynebedd arwyneb prism = cyfanswm arwynebedd yr holl wynebau
5. Cyfaint silindr = $\pi r^2 u$
6. Arwynebedd arwyneb silindr = $2\pi r u + 2\pi r^2$

## Cyngor

Cofio cynnwys unedau yn eich atebion.

## Termau allweddol

Cyfaint

Arwynebedd arwyneb

Prism

Trawstoriad

Wyneb

## Enghreifftiau

Cyfrifwch beth yw cyfaint ac arwynebedd arwyneb y ciwboid hwn.

6 cm
4 cm
8 cm

**Ateb**

Cyfaint = hyd × lled × uchder ❶

Cyfaint = 8 × 4 × 6

Cyfaint = 192 cm$^3$

Arwynebedd arwyneb = 2 × (arwynebedd y sylfaen + arwynebedd un ochr + arwynebedd y blaen) ❷

Arwynebedd arwyneb = 2 × ((8 × 4) + (4 × 6) + (8 × 6))

Arwynebedd arwyneb = 2 × (32 + 24 + 48)

Arwynebedd arwyneb = 208 cm$^2$

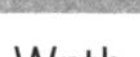

## Gofal

Wrth ddefnyddio cyfrifiannell i gyfrifo problemau, peidio â thalgrynnu eich atebion tan yr ateb terfynol.

## Cwestiynau dull arholiad

1. Mae gwneuthurwr yn gwneud ciwbiau stoc. Mae'r ciwbiau stoc yn cael eu gwneud mewn ciwbiau 2 cm. Mae hi eisiau gwerthu'r ciwbiau mewn blychau o 12 a byddan nhw'n cael eu pacio heb fylchau. Cyfrifwch beth yw dimensiynau yr holl flychau posibl y gallai'r gwneuthurwr ddewis o'u plith. **[3]**

ATEBION WEDI'U GWIRIO

# Cwestiynau dull arholiad cymysg

**1** Mae gan driongl isosgeles, ABC, sylfaen, AC, sy'n 8 cm. Uchder perpendicwlar y triongl yw 5 cm.

**a** Gan ddefnyddio pren mesur a chwmpas gwnewch luniad manwl gywir o'r triongl. **[4]**

**b** Mesurwch ongl BAC ar eich lluniad. **[1]**

**2** Mae'r triongl A wedi'i luniadu ar y grid sgwariau isod.

**a** Trwsfudwch y triongl A$\begin{pmatrix}-5\\-1\end{pmatrix}$. Labelwch y ddelwedd yn B. **[1]**

**b** Cylchdrowch y triongl A trwy 90° yn wrthglocwedd o amgylch y pwynt sydd â'r cyfesurynnau (2, 0). Labelwch y ddelwedd yn C. **[2]**

**c** Adlewyrchwch y triongl A yn y llinell $y = x$. Labelwch y ddelwedd yn D. **[2]**

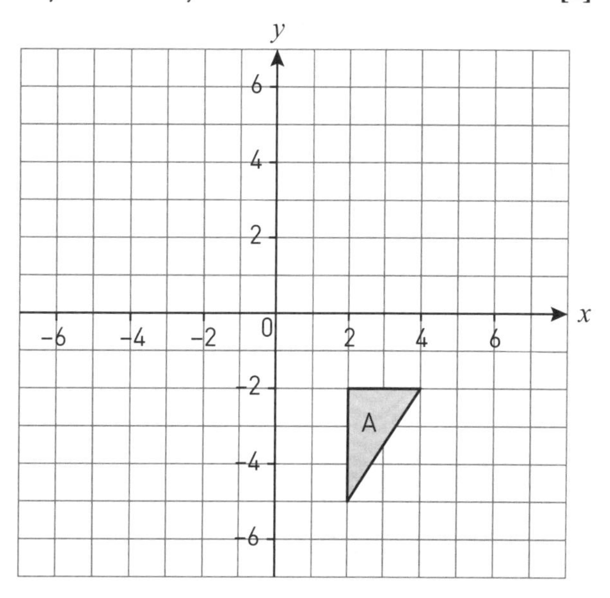


**3** Disgrifiwch yn llawn y trawsffurfiad fydd yn mapio siâp A ar ben siâp B. **[2]**

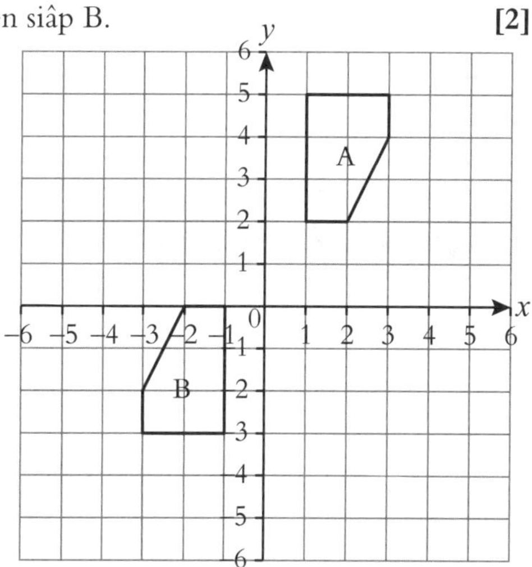

# Ystadegaeth a Thebygolrwydd: gwiriad cyn adolygu

Gwiriwch pa mor dda rydych chi'n gwybod pob testun drwy ateb y cwestiynau hyn. Os cewch chi gwestiwn yn anghywir, ewch i'r dudalen sydd â'i rhif mewn cromfachau i adolygu'r testun hwnnw.

**1** Cofnododd Charlie nifer y goliau wedi'u sgorio ym mhob un o 20 gêm bêl-droed. Dyma ei chanlyniadau.

| Nifer y goliau | 1 | 2 | 3 | 4 | 5 |
|---|---|---|---|---|---|
| Amlder | 5 | 7 | 4 | 2 | 2 |

**a** Darganfyddwch nifer canolrifol y goliau wedi'u sgorio.
**b** Cyfrifwch nifer cymedrig y goliau wedi'u sgorio y gêm. (tudalen 56)

**2** Mae'r tabl yn rhoi gwybodaeth am nifer y bobl oedd yn byw mewn pentref o 1950 i 2010.

| Blwyddyn | 1950 | 1960 | 1970 | 1980 | 1990 | 2000 | 2010 |
|---|---|---|---|---|---|---|---|
| Nifer y bobl | 90 | 80 | 100 | 110 | 190 | 240 | 300 |

**a** Lluniadwch graff llinell fertigol i ddangos y wybodaeth yn y tabl.
**b** Cyfrifwch y cynnydd canrannol yn nifer y bobl yn byw yn y pentref rhwng 1980 ac 1990.
**c** Disgrifiwch y duedd. (tudalen 58)

**3** Mae'r tabl yn rhoi rhywfaint o wybodaeth am oedrannau'r 54 o bobl sydd ar daith fws.

| Grŵp oedran (blynyddoedd) | dan 20 | 20 i 39 | dros 39 |
|---|---|---|---|
| Amlder | 18 | 24 | 12 |

Mae Lara yn mynd i luniadu siart cylch i ddangos y wybodaeth hon. Cyfrifwch yr ongl dylai hi ei defnyddio ar gyfer y grŵp oedran dan 20. (tudalen 59)

**4** Mae'r tabl yn rhoi gwybodaeth am oed a radiws boncyff pob un o wyth coeden.

| Oed (blynyddoedd) | 26 | 42 | 50 | 33 | 55 | 58 | 36 | 48 |
|---|---|---|---|---|---|---|---|---|
| Radiws boncyff (cm) | 14 | 30 | 42 | 22 | 44 | 52 | 22 | 34 |

**a** Lluniadwch ddiagram gwasgariad i ddangos y wybodaeth hon.
**b** Disgrifiwch a dehonglwch y cydberthyniad sydd i'w weld yn eich diagram gwasgariad.

Mae coeden arall yn 65 oed.

**c** **i** Darganfyddwch amcangyfrif ar gyfer radiws boncyff y goeden hon.
**ii** Pa mor ddibynadwy yw eich amcangyfrif? Esboniwch pam.
(tudalen 60)

**5** Mae gan Gwen ragdybiaeth bod mwy o ferched yn defnyddio llyfrgell ysgol na bechgyn. Mae hi hefyd yn credu mai dim ond plant dan 13 oed sy'n defnyddio'r llyfrgell hon.
Sut gallai hi roi prawf ar y rhagdybiaeth hon? Rhaid i chi ddangos enghraifft o sut gallech chi ddarganfod y data angenrheidiol.
(tudalen 64)

**6** Dyma rai teils llythrennau.

| A | A | A | B | B | C | X |
|---|---|---|---|---|---|---|

Mae Naomi yn mynd i gymryd un o'r teils hyn ar hap.

**a** Beth yw'r tebygolrwydd y bydd Naomi yn cymryd y llythyren A?

**b** Beth yw'r tebygolrwydd **na** fydd Naomi yn cymryd y llythyren B?

(tudalen 65)

**7** Mae Mary yn troi troellwr â 4 ochr a throellwr â 3 ochr. Ei sgôr yw'r gwahaniaeth rhwng y ddau rif ar y troellwyr, fel sydd i'w weld yn y tabl.

**a** Darganfyddwch y tebygolrwydd mai sgôr Mary yw 0.

**b** Darganfyddwch y tebygolrwydd bod sgôr Mary yn fwy nag 1.

(tudalen 66)

| | **Troellwr â 3 ochr** | | | |
|---|---|---|---|---|
| | | **1** | **2** | **3** |
| **Troellwr â 4 ochr** | **1** | 0 | 1 | 2 |
| | **2** | 1 | 0 | 1 |
| | **3** | 2 | 1 | 0 |
| | **4** | 3 | 2 | 1 |

**8** Mae Jay yn troi troellwr â 3 ochr 20 gwaith. Dyma'r canlyniadau.

| **Rhif** | 1 | 2 | 3 |
|---|---|---|---|
| **Amlder** | 9 | 3 | 8 |

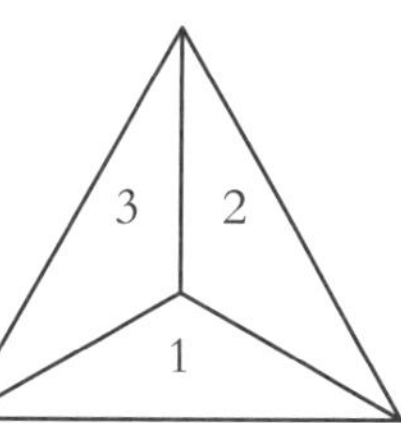


Mae Jay yn mynd i droi'r troellwr unwaith eto.

**a** Ysgrifennwch amcangyfrif ar gyfer y tebygolrwydd y bydd y troellwr yn glanio ar 2.

**b** Mae Jay yn credu bod y troellwr â thuedd. Ydy hi'n gywir? Rhowch reswm dros eich ateb. (tudalen 67)

# Defnyddio tablau amlder

WEDI'I ADOLYGU

CANOLIG

## Rheolau

1. Y modd yw'r gwerth mwyaf cyffredin.
2. Y canolrif yw'r gwerth canol pan fydd y data yn nhrefn maint.
   Y gwerth canol yw'r $\frac{n+1}{2}$ fed gwerth.
3. Yr amrediad yw'r gwahaniaeth rhwng y gwerth mwyaf a'r gwerth lleiaf.
4. I gyfrifo'r cymedr o dabl amlder grŵp, mae angen ychwanegu colofn $f \times x$ a rhes cyfanswm at y tabl.
5. Y cymedr yw swm yr holl werthoedd $f \times x$ wedi'i rannu â nifer y gwerthoedd. Cymedr = $\frac{\Sigma f \times x}{n}$

## Enghraifft

Mewn arolwg gofynnodd rhywun i 21 o bobl faint o dorthau roedden nhw'n eu prynu mewn wythnos. Mae'r tabl yn rhoi gwybodaeth am y canlyniadau.

| Nifer y torthau ($x$) | Amlder ($f$) | $f \times x$ |
|---|---|---|
| 0 | 4 | 0 × 4 = 0 |
| 1 | 7 | 1 × 7 = 7 |
| 2 | 9 | 2 × 9 = 18 |
| 3 | 1 | 3 × 1 = 3 |
| Cyfanswm | 21 | 28 |

Cyfrifwch

i y modd ii y canolrif iii y cymedr iv yr amrediad.

**Ateb**

i Modd = 2 ❶ Y gwerth mwyaf cyffredin yw'r gwerth sydd â'r amlder mwyaf. Yr amlder mwyaf yw 9, felly y modd yw 2

ii Canolrif = 1 ❷ Y gwerth canol yw'r $\frac{21+1}{2} = \frac{22}{2}$ = 11fed gwerth

Mae pedwar 0, saith 1, naw 2, etc., felly yr 11fed gwerth yw 1

iii Ychwanegu colofn $f \times x$ a rhes Cyfanswm at y tabl. ❹

Cymedr = $\frac{28}{21}$ = 1.33 (2 le degol) ❺ Swm yr holl werthoedd $f \times x$ yw 28

Nifer y gwerthoedd yw 21, felly y cymedr = 28 ÷ 21 = 1.33...

iv Amrediad = 3 ❸ Y gwerth mwyaf yw 3, y gwerth lleiaf yw 0, felly 3 – 0 = 3

## Term allweddol

Amlder

## Cyngor

1. Cofio bod lluosi unrhyw rhif â 0 yn hafal i 0.
2. Os yw maint y sampl yn cael ei roi yn y cwestiwn (21 yn yr achos hwn), gwirio bod cyfanswm yr amlder yn hafal iddo.
3. Rhoi eich atebion i raddau priodol o fanwl gywirdeb, yn gyffredinol 3 ffigur ystyrlon neu o leiaf 2 le degol.

## Cwestiynau dull arholiad

1 Mae Mary yn gofyn i 25 o bobl mewn sioe gŵn faint o gŵn sydd ganddyn nhw. Dyma'r canlyniadau.

| Nifer y cŵn ($x$) | Amlder ($f$) |
|---|---|
| 1 | 9 |
| 2 | 7 |
| 3 | 5 |
| 4 | 3 |
| 5 | 1 |

Cyfrifwch

a y modd **[1]**

b y canolrif **[1]**

c y cymedr **[3]**

ch yr amrediad. **[2]**

2 Gofynnodd Satbir i rai pobl sawl gwaith roedden nhw wedi bod i'r sinema yn ystod y mis diwethaf. Mae'r tabl yn dangos gwybodaeth am y canlyniadau.

| Sawl gwaith ($x$) | Amlder($f$) |
|---|---|
| 0 | 11 |
| 1 | 15 |
| 2 | 9 |
| 3 | 5 |

Cyfrifwch

a y modd **[1]**

b y canolrif **[1]**

c y cymedr **[3]**

ch yr amrediad. **[2]**

ATEBION WEDI'U GWIRIO ☐

# Siartiau llinell fertigol

WEDI'I ADOLYGU

ISEL

**Rheolau**

1. Does dim angen i'r graddfeydd ar yr echelinau fod yr un peth â'i gilydd.
2. Rhaid i'r raddfa fod yr un peth ar hyd pob echelin fel bod bylchau hafal rhwng y rhifau.
3. Os yw amser wedi'i gynnwys, mae'n mynd ar hyd yr echelin lorweddol.
4. Labelu'r echelinau a rhoi teitl i'r siart.

**Enghraifft**

Mae'r tabl yn rhoi'r tymereddau uchaf cyfartalog gafodd eu cofnodi ym Manceinion bob mis yn 2015.

| Mis | I | Ch | M | E | M | M | G | A | M | H | T | Rh |
|---|---|---|---|---|---|---|---|---|---|---|---|---|
| Tymheredd (°C) | 6 | 6 | 9 | 12 | 15 | 18 | 20 | 20 | 17 | 14 | 9 | 7 |

i Lluniadwch siart llinell fertigol i ddangos y wybodaeth hon.
ii Pa ddau fis oedd â'r tymereddau cyfartalog uchaf?
iii Disgrifiwch siâp y dosraniad.

**Ateb**

i

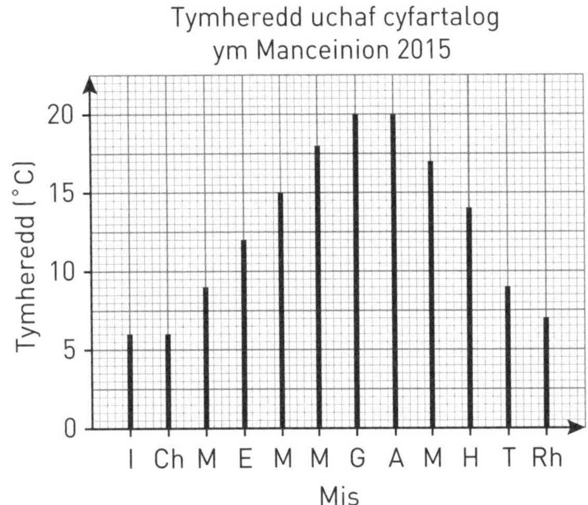


ii Mae'r tymereddau cyfartalog uchaf yn cael eu rhoi gan y llinellau uchaf. Y llinellau uchaf yw Gorffennaf ac Awst.
iii Cynyddodd y tymereddau uchaf cyfartalog o'u gwerthoedd isaf yn y gaeaf i'w gwerthoedd uchaf yn yr haf, ac yna gostyngon nhw eto yn yr hydref.

**Term allweddol**

Tuedd

**Cyngor**

Bod yn ofalus iawn wrth ddehongli'r raddfa ar yr echelin fertigol. Weithiau dydy un sgwâr ddim yn cynrychioli un uned.

**Cwestiynau dull arholiad**

1 Mae Fiona yn gwerthu ymbaréls mewn siop. Mae'r tabl yn dangos nifer yr ymbaréls wedi'u gwerthu ganddi bob dydd yn ystod un wythnos ym mis Ebrill.

| Dydd | Llun | Maw | Mer | Iau | Gwe | Sad | Sul |
|---|---|---|---|---|---|---|---|
| Amlder | 8 | 3 | 4 | 15 | 9 | 6 | 6 |

a Lluniadwch siart llinell fertigol i ddangos y wybodaeth hon. **[3]**
b Gwerthodd Fiona fwy o ymbaréls ar y dydd Iau nag ar unrhyw ddiwrnod arall. Awgrymwch reswm pam. **[1]**
c Cost pob ymbarél yw £5.99. Faint o arian gafodd Fiona am werthu ymbaréls yr wythnos honno? **[2]**

2 Mae Pam yn rholio dis 30 o weithiau. Dyma'r canlyniadau.
6, 5, 1, 4, 2, 6, 5, 6, 6, 2, 3, 6, 5, 3, 3, 4, 5, 6, 6, 6, 4, 3, 2, 4, 5, 2, 4, 6, 6, 2
a Lluniadwch siart llinell fertigol i ddangos y wybodaeth hon. **[3]**
b Mae Pam yn dweud bod y dis â thuedd. Ydych chi'n cytuno? Esboniwch pam. **[1]**

ATEBION WEDI'U GWIRIO

# Siartiau cylch

WEDI'I ADOLYGU

**CANOLIG**



## Rheolau

1. I luniadu siart cylch ar sail tabl amlder mae angen ychwanegu rhes 'ongl sector' at y tabl.
2. Cyfanswm yr amlder ($n$) yw swm yr holl amlderau.
3. Yr ongl angenrheidiol ar gyfer un eitem yw $\frac{360}{n}$, lle mai $n$ yw cyfanswm yr amlder.
4. I gyfrifo'r ongl sector, lluosi amlder y sector ($f$) â'r ongl angenrheidiol ar gyfer un eitem: $f \times \frac{360}{n}$
5. I gyfrifo amlder y sector, rhannu'r ongl sector ($A$) â 360 a lluosi â chyfanswm yr amlder ($n$): $\frac{A}{360} \times n$

## Enghreifftiau

**a** Mae'r tabl yn dangos nifer y pleidleisiau gafodd Pierre, Carlos, Sasha ac Evelyn mewn etholiad. Lluniadwch siart cylch i ddangos y wybodaeth hon.

| | Pierre | Carlos | Sasha | Evelyn |
|---|---|---|---|---|
| **Nifer y pleidleisiau** | 18 | 24 | 33 | 15 |
| **Ongl sector** | 72° | 96° | 132° | 60° |

**Ateb**

Ychwanegu rhes 'ongl sector' at y tabl ❶. Cyfanswm yr amlder ($n$) = 18 + 24 + 33 + 15 = 90 ❷. Yr ongl angenrheidiol ar gyfer un bleidlais = $\frac{360}{90} = 4°$ ❸.

Ongl sector ar gyfer Pierre = 18 × 4 = 72°
Ongl sector ar gyfer Carlos = 24 × 4 = 96°
Ongl sector ar gyfer Sasha = 33 × 4 = 132°
Ongl sector ar gyfer Evelyn = 15 × 4 = 60° ❹

Lluniadu'r siart cylch.

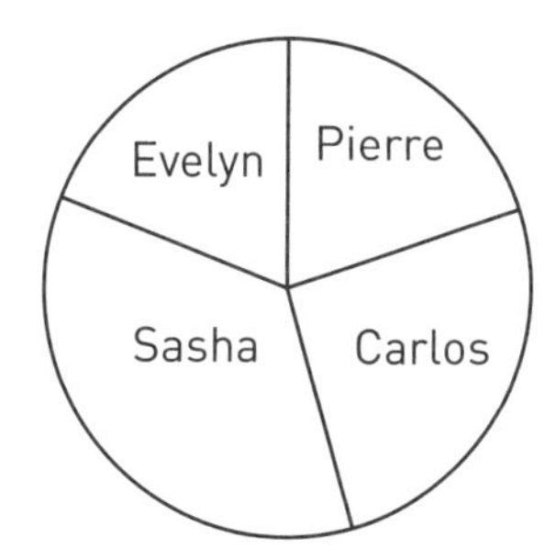


**b** Mae'r siart cylch yn dangos gwybodaeth am bwysau'r cynhwysion sy'n angenrheidiol ar gyfer gwneud teisen. Mae Kerry yn defnyddio'r wybodaeth yn y siart cylch i wneud teisen. Pwysau'r deisen yw 900 gram. Faint o fenyn mae Kerry wedi'i ddefnyddio?

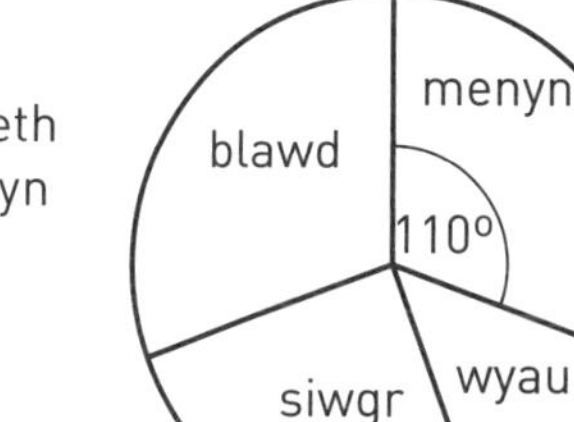


**Ateb**

Yr ongl sector ($A$) yw 110°, cyfanswm yr amlder ($n$) yw 900, felly $\frac{110}{360} \times 900 = 275$ gram ❺

### Cyngor

Gwirio eich cyfrifiadau o'r onglau sector drwy eu hadio nhw at ei gilydd. Dylai'r cyfanswm fod yn 360°.

Labelu sectorau eich siart cylch.

Defnyddio onglydd i luniadu onglau'r siart cylch yn fanwl gywir.

### Termau allweddol

Ongl sector

Amlder sector

## Cwestiynau dull arholiad

1 Mae'r tabl yn dangos rhywfaint o wybodaeth am y diodydd wedi'u gwerthu mewn siop un diwrnod. Lluniadwch siart cylch i ddangos y wybodaeth hon. **[4]**

| **Diod** | Te | Coffi | Sudd | Cola |
|---|---|---|---|---|
| **Amlder** | 12 | 8 | 27 | 25 |

2 Mae Tony yn defnyddio'r wybodaeth yn y siart cylch yn Enghraifft b uchod i wneud teisen. Mae ganddo 385 gram o fenyn a digon o'r cynhwysion eraill. Cyfrifwch beth yw pwysau'r deisen fwyaf mae Tony yn gallu ei gwneud. **[2]**

ATEBION WEDI'U GWIRIO

# Diagramau gwasgariad a defnyddio llinellau ffit orau

WEDI'I ADOLYGU

**CANOLIG**

## Rheolau

1. Allwerth yw data sydd ddim yn cyd-fynd â phatrwm gweddill y data.
2. Os oes cydberthyniad positif, bydd dau newidyn yn cynyddu gyda'i gilydd.
3. Os oes cydberthyniad negatif, bydd un newidyn yn gostwng pan fydd y newidyn arall yn cynyddu.
4. Os oes cydberthyniad rhwng y newidynnau, mae'n bosibl tynnu llinell ffit orau ar y diagram gwasgariad.
5. Y llinell ffit orau yw'r llinell sy'n cynrychioli'r data orau.
6. Defnyddio llinell ffit orau i amcancangyfrif gwerthoedd anhysbys.

## Enghraifft

Mae'r diagram gwasgariad yn dangos gwybodaeth am oed sampl o wyth car a'r milltiroedd maen nhw wedi teithio.

Mae allwerth yn y data.

i Ysgrifennwch beth yw cyfesurynnau'r allwerth.
ii Disgrifiwch unrhyw gydberthyniad rhwng oed a milltiroedd y ceir hyn.
iii Tynnwch linell ffit orau ar y diagram gwasgariad.
iv Mae car arall yn 4 oed. Defnyddiwch eich llinell ffit orau i amcangyfrif milltiroedd y car hwn. Rhowch sylwadau am ba mor ddibynadwy yw eich amcangyfrif.

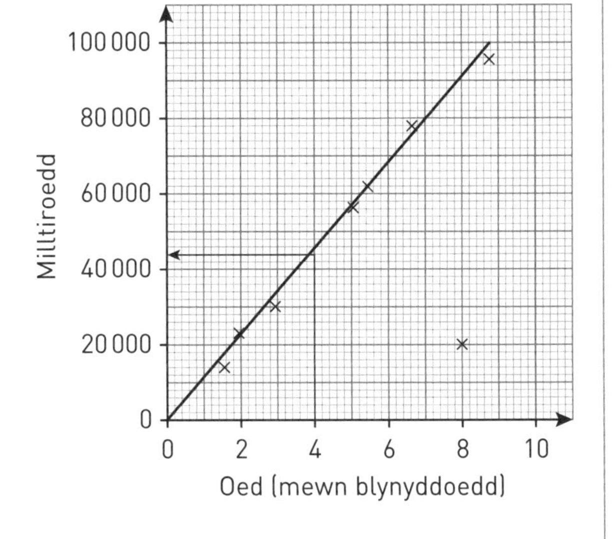


**Ateb**

i Y data sydd ddim yn cyd-fynd â phatrwm y data eraill yw (8, 20 000). ❶
ii Mae'r data yn dangos cydberthyniad positif, y mwyaf yw oed y car, mwyaf i gyd yw'r milltiroedd. ❷
iii Gweler y diagram gwasgariad. ❹ ❺
iv Cyfesurynnau'r pwynt ar y llinell ffit orau sy'n cyfateb i bedair oed yw (4, 44 000). Felly amcangyfrif ar gyfer y milltiroedd anhysbys yw 44 000. ❻
Mae'r amcangyfrif hwn yn defnyddio rhyngosodiad. Mae rhyngosodiad yn fwy dibynadwy nag allosodiad ond, gan fod maint y sampl yn fach, efallai nad yw'r amcangyfrif yn ddibynadwy yn gyffredinol.

## Cyngor

Dangos eich gwaith cyfrifo ar gyfer amcangyfrifon drwy dynnu llinellau i'ch llinell ffit orau wrth ddarllen gwerthoedd.

Gofalu wrth ddehongli graddfeydd ar echelinau diagramau gwasgariad. Dydy un sgwâr ar y grid ddim bob amser yn cynrychioli un uned yn y data.

## Termau allweddol

Data â dau newidyn
Cydberthyniad
Rhyngosodiad
Allosodiad
Achosiaeth

## Cwestiwn dull arholiad

Mae gwyddonydd wedi cofnodi tymheredd y môr ar bob un o wyth dyfnder. Mae'r tabl yn dangos gwybodaeth am y canlyniadau.

| **Dyfnder (m)** | 300 | 150 | 0 | 250 | 400 | 450 | 200 | 100 |
|---|---|---|---|---|---|---|---|---|
| **Tymheredd y môr (°C)** | 11 | 15.5 | 20 | 13.5 | 10 | 8 | 14 | 18 |

a Lluniadwch graff gwasgariad ar gyfer y wybodaeth hon. **[3]**

b Disgrifiwch y cydberthyniad. **[1]**

c i Amcangyfrifwch beth yw tymheredd y môr ar ddyfnder o 350 metr.

ii Amcangyfrifwch y dyfnder ar gyfer tymheredd y môr o 0°C. Rhowch sylwadau am ba mor ddibynadwy yw eich amcangyfrifon. **[4]**

ATEBION WEDI'U GWIRIO ☐

# Cwestiynau dull arholiad cymysg

**1** Cofnododd Jose nifer yr eitemau a werthodd ar ei siop ryngrwyd ar bob un o 40 diwrnod. Mae'r siart llinell fertigol yn dangos gwybodaeth am y canlyniadau.

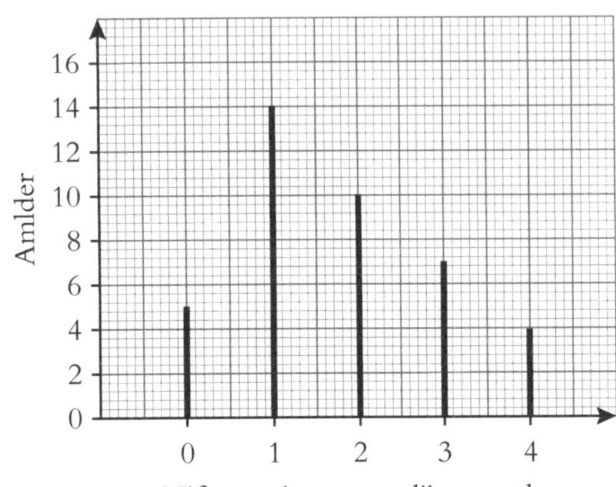


**a** Copïwch a chwblhewch y tabl gan ddefnyddio'r wybodaeth yn y siart. **[2]**

| **Nifer yr eitemau wedi'u gwerthu** | 0 | 1 | 2 | 3 | 4 |
|---|---|---|---|---|---|
| **Amlder** | | | | | |

**b** Darganfyddwch beth yw

**i** modd

**ii** canolrif

**iii** cymedr y data. **[5]**

**c** Pa gyfartaledd rydych chi'n credu sy'n cynrychioli'r data orau?
Rhowch reswm dros eich ateb. **[2]**

**2** Cofnododd Omar nifer y galwadau i ganolfan alwadau ar bob un o 5 dydd. Dyma'r canlyniadau.

| **Dydd** | Llun | Maw | Mer | Iau | Gwe |
|---|---|---|---|---|---|
| **Nifer y galwadau** | 3 | 5 | 7 | 12 | 18 |

**a** Lluniadwch

**i** siart llinell fertigol

**ii** siart cylch ar gyfer y wybodaeth hon. **[6]**

**b** Pa ddiagram yw'r mwyaf defnyddiol yn eich barn chi?
Rhowch reswm dros eich ateb. **[1]**

**3** Mae Emma yn chwarae OXO gyda'i ffrindiau.

Mae hi'n ennill $\frac{3}{5}$ o'i gemau,

mae'n colli $\frac{1}{4}$ o'i gemau,

a gemau cyfartal yw'r gweddill.

Lluniadwch siart cylch i ddangos y wybodaeth hon. **[3]**

4 Cofnododd John yr amserau, mewn munudau, gymerodd pob un o wyth myfyriwr i gwblhau pos jig-so â 250 o ddarnau a phos jig-so â 500 o ddarnau. Mae'r canlyniadau i'w gweld yn y tabl.

| **Jig-so â 250 o ddarnau (munudau)** | 35 | 41 | 70 | 71 | 62 | 74 | 45 | 51 |
|---|---|---|---|---|---|---|---|---|
| **Jig-so â 500 o ddarnau (munudau)** | 68 | 70 | 70 | 90 | 86 | 99 | 75 | 78 |

a Lluniadwch ddiagram gwasgariad ar gyfer y wybodaeth hon. [3]

b Efallai bod un o'r pwyntiau data yn allwerth. Pa bwynt data? Rhowch reswm dros eich ateb. [1]

c Disgrifiwch a dehonglwch y cydberthyniad. [2]

Myfyriwr arall yw Kyle. Mae'n cymryd 57 munud i wneud y jig-so â 250 o ddarnau.

ch i Darganfyddwch amcangyfrif ar gyfer faint o amser mae e'n ei gymryd i wneud y jig-so â 500 o ddarnau.

ii Rhowch sylwadau am ba mor ddibynadwy yw eich amcangyfrif. [3]

# Llunio holiaduron

WEDI'I ADOLYGU ☐

**CANOLIG**

**Rheolau**

1. Mae cwestiynau sydd â thuedd yn gwestiynau arweiniol, ac maen nhw'n llywio sut gallen nhw gael eu hateb.
2. Dydy cwestiynau amwys (*vague*) ddim yn galluogi coladu data defnyddiol.
3. Yn aml dylai dewisiadau ar gyfer atebion gael eu rhoi i osgoi atebion amwys ac i helpu i goladu'r atebion.
4. Wrth ysgrifennu blychau dewisiadau, peidio â gadael unrhyw ddewis allan, e.e. efallai yr ateb 'ddim yn gwybod' wrth roi dewisiadau 'ie' a 'na'.
5. Camgymeriad cyffredin yw gadael oed neu grwpiau o oedrannau allan o holiadur.
6. Ystyriwch, fel nod, beth yn union mae'r arolwg eisiau ei ddarganfod, ac ysgrifennwch gwestiynau i wneud hynny.
7. Gall holiadur gael ei lunio i brofi rhagdybiaeth.

**Enghraifft**

Roedd Aled eisiau darganfod pa mor aml roedd pobl yn ymweld â'r sinema a grŵp oedran mwyaf poblogaidd y bobl hyn.

Safodd y tu allan i'r sinema gyda'r holiadur canlynol.

1 Beth yw eich oed?

6 i 10 ☐

12 i 16 ☐

18 i 25 ☐

Dros 30 ☐

2 Pa mor aml rydych chi'n ymweld â'r sinema?

Byth ☐

Weithiau ☐

Yn aml ☐

i Esboniwch pam gallai arolwg Aled fod â thuedd.

ii Ysgrifennwch feirniadaethau o bob cwestiwn yn yr holiadur, gan nodi sut gallai'r cwestiynau gael eu gwella.

**Ateb**

i Mae'n cael ei gynnal y tu allan i'r sinema, felly mae â thuedd tuag at y bobl sy'n mynd yno.

ii Dydy'r blychau yng Nghwestiwn 1 ddim yn cynnwys rhai oedrannau. Ystyried y blychau dewis dan 6 oed, 6 i 11 oed, 12 i 17 oed, 18 i 25 oed, 26 i 30 oed a 31 oed a throsodd.
Mae Cwestiwn 2 yn amwys gan nad yw'n rhoi unrhyw syniad o faint o weithiau maen nhw'n ymweld, na'r cyfnod amser. Ystyried blychau dewis gyda nifer yr ymweliadau mewn mis: 0 i 2, 3 i 5, 6 i 8 a 9 neu fwy.

**Termau allweddol**

Arolwg

Tuedd

Dewisiadau

Amwys

Dadansoddi

Rhagdybiaeth

**Cwestiwn dull arholiad**

Mae gan Lois ragdybiaeth bod mwy o fechgyn yn defnyddio'r lle chwarae yn y parc na merched. Mae hi hefyd yn credu mai dim ond plant dan 8 oed sy'n defnyddio'r lle chwarae.
Sut gallech chi brofi'r rhagdybiaeth hon?
Rhaid i chi ddangos enghraifft o sut gallech chi ddod o hyd i'r data angenrheidiol.

ATEBION WEDI'U GWIRIO ☐

**Cyngor**

Cofio peidio â bod yn amwys. Rhoi dewisiadau sy'n galluogi dadansoddi data.

Peidio â gadael unrhyw grŵp allan. Ydy pawb yn gallu ticio dewis?

# Tebygolrwydd digwyddiad sengl

WEDI'I ADOLYGU ☐

CANOLIG

**Rheolau**

❶ P(digwyddiad yn digwydd) = $\frac{\text{cyfanswm y canlyniadau llwyddiannus}}{\text{cyfanswm y canlyniadau posibl}}$

❷ P(digwyddiad ddim yn digwydd) = 1 – P(digwyddiad yn digwydd)

**Enghreifftiau**

a Mae rhywun yn mynd i ddewis llythyren ar hap o'r gair MISSISSIPPI. Darganfyddwch y tebygolrwydd

i bydd y llythyren yn S

ii na fydd y llythyren yn S.

**Ateb**

i Mae 4 S, ac felly cyfanswm y canlyniadau llwyddiannus yw 4. Mae 11 llythyren i gyd, ac felly cyfanswm y canlyniadau posibl yw 11.

$P(S) = \frac{\text{cyfanswm y canlyniadau llwyddiannus}}{\text{cyfanswm y canlyniadau posibl}} = \frac{4}{11}$ ❶

ii $P(\text{ddim yn } S) = 1 - P(S) = 1 - \frac{4}{11} = \frac{7}{11}$ ❷

b Mae bag yn cynnwys cownteri. Mae pob cownter â'r rhif 1 neu 2 neu 3 neu 4 arno. Mae'r tabl yn dangos gwybodaeth am y cownteri hyn.

| Rhif ar y cownter | 1 | 2 | 3 | 4 |
|---|---|---|---|---|
| Amlder | 3 | 8 | 7 | 5 |

Mae rhywun yn tynnu cownter ar hap o'r bag. Cyfrifwch y tebygolrwydd bod rhif sy'n fwy na 2 ar y cownter.

**Ateb**

Cyfanswm y canlyniadau llwyddiannus = 12, gan fod 7 cownter â'r rhif 3 arnyn nhw a 5 cownter â'r rhif 4 arnyn nhw ac mae 7 + 5 = 12.

Cyfanswm y canlyniadau posibl = 23, gan fod cyfanswm y cownteri yn y bag = 3 + 8 + 7 + 5 = 23.

Felly P(rhif sy'n fwy na 2) = $\frac{\text{cyfanswm y canlyniadau llwyddiannus}}{\text{cyfanswm y canlyniadau posibl}} = \frac{12}{23}$ ❶

**Cyngor**

Rhaid ysgrifennu tebygolrwyddau fel ffracsiynau, degolion neu ganrannau.

Peidio ag ysgrifennu tebygolrwyddau fel cymhareb.

Os yw tebygolrwyddau wedi'u hysgrifennu fel ffracsiynau, does dim rhaid eu hysgrifennu ar eu ffurf symlaf.

**Termau allweddol**

Digwyddiad

Canlyniad

**Cwestiynau dull arholiad**

1 Mae bag yn cynnwys 10 cownter. Mae 3 o'r cownteri yn lliw coch, mae'r gweddill yn lliw gwyrdd. Mae rhywun yn tynnu cownter ar hap o'r bag. Ysgrifennwch y tebygolrwydd y bydd y cownter
a yn lliw coch **[1]** b ddim yn lliw coch **[2]** c yn lliw melyn. **[1]**

2 Mae cyflwynydd tywydd yn dweud mai'r tebygolrwydd y bydd hi'n bwrw glaw yfory yw 65%. Beth yw'r tebygolrwydd na fydd hi'n bwrw glaw yfory? **[2]**

3 Mae ochrau troellwr â 3 ochr wedi'u labelu'n A, B, ac C. Mae'r tebygolrwydd y bydd y troellwr yn glanio ar B ddwywaith mor debygol â glanio ar A. Mae'r tebygolrwydd y bydd yn glanio ar C ddwywaith mor debygol â glanio ar B. Cyfrifwch y tebygolrwydd y bydd y troellwr yn glanio ar C. **[3]**

4 Mae blwch yn cynnwys dim ond cownteri lliw du a chownteri lliw gwyn. Y tebygolrwydd y bydd cownter sy'n cael ei dynnu ar hap o'r blwch yn lliw du yw $\frac{5}{12}$. Mae 20 cownter lliw du yn y blwch. Sawl cownter lliw gwyn sydd yn y blwch? **[3]**

ATEBION WEDI'U GWIRIO ☐

## Digwyddiadau cyfunol

WEDI'I ADOLYGU

**CANOLIG**

### Rheolau

1. Dangos pob canlyniad posibl mewn rhestr, diagram gofod posibilrwydd neu ddiagram Venn.
2. Nodi pob canlyniad llwyddiannus.
3. $\text{P(digwyddiad yn digwydd)} = \dfrac{\text{cyfanswm y canlyniadau llwyddiannus}}{\text{cyfanswm y canlyniadau posibl}}$
4. P(digwyddiad ddim yn digwydd) = 1 – P(digwyddiad yn digwydd)

### Enghreifftiau

**a** Mae Giles yn mynd i droi troellwr â 3 ochr sydd â'r rhifau 1 i 3 arno a throellwr â 4 ochr sydd â'r rhifau 1 i 4 arno. Darganfyddwch y tebygolrwydd y bydd cyfanswm y ddau rif ar y troellwyr

i yn 5 ii ddim yn 5.

**Ateb**

i Lluniadu diagram gofod sampl i ddangos pob canlyniad posibl. ❶

**Troellwr â 4 ochr**

| | | 1 | 2 | 3 | 4 |
|---|---|---|---|---|---|
| **Troellwr â 3 ochr** | **1** | (1, 1) | (1, 2) | (1, 3) | (1, 4) |
| | **2** | (2, 1) | (2, 2) | (2, 3) | (2, 4) |
| | **3** | (3, 1) | (3, 2) | (3, 3) | (3, 4) |

Darganfod pob canlyniad llwyddiannus yn y diagram gofod sampl sydd â chyfanswm o 5, e.e. (3, 2). ❷

Mae 3 chanlyniad llwyddiannus, h.y. (3, 2), (2, 3), (1, 4).

Mae cyfanswm o 12 canlyniad posibl.

Felly, $\text{P(cyfanswm 5)} = \dfrac{\text{cyfanswm y canlyniadau llwyddiannus}}{\text{cyfanswm y canlyniadau posibl}} = \dfrac{3}{12} = \dfrac{1}{4}$ ❸

ii P(cyfanswm ddim yn 5) = 1 – P(cyfanswm 5) ❹

$1 - \text{P(cyfanswm 5)} = 1 - \dfrac{3}{12} = \dfrac{9}{12} = \dfrac{3}{4}$

**b** Mae'r diagram Venn yn rhoi gwybodaeth am nifer y bobl mewn arolwg sydd wedi gwylio'r ffilmiau *Cinderella* (C) a *Bambi* (B). Mae rhai wedi gwylio'r ddau ac mae rhai sydd ddim wedi gwylio'r naill na'r llall. Mae un o'r bobl hyn yn cael ei ddewis ar hap. Beth yw'r tebygolrwydd bod y person hwn wedi gwylio *Cinderella* neu *Bambi* ond nid y ddau?

**Ateb**

Mae'r diagram Venn yn dangos bod 8 person wedi gwylio dim ond *Cinderella*, 5 person wedi gwylio dim ond *Bambi*, 3 pherson wedi gwylio'r ddwy ffilm a 6 pherson ddim wedi gwylio'r naill na'r llall.

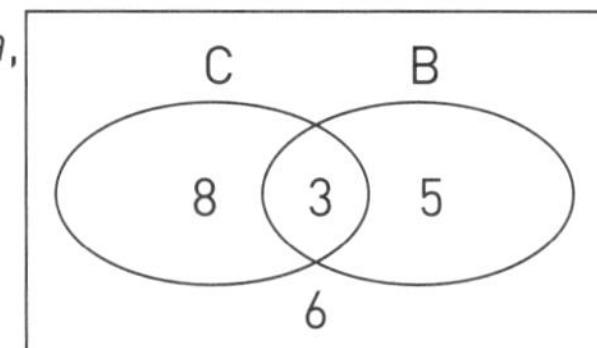


Cyfanswm y canlyniadau llwyddiannus = 8 + 5 = 13 ❷

Cyfanswm y canlyniadau posibl = 8 + 3 + 5 + 6 = 22

Felly, $\text{P(}\textit{Cinderella}\text{ neu }\textit{Bambi}\text{ ond nid y ddwy)} = \dfrac{\text{cyfanswm y canlyniadau llwyddiannus}}{\text{cyfanswm y canlyniadau posibl}} = \dfrac{13}{22}$ ❸

#### Cyngor

Lluniadu cylch o amgylch yr holl ganlyniadau llwyddiannus yn y gofod sampl.

Does dim angen rhoi'r ateb terfynol fel ffracsiwn ar ei ffurf symlaf.

#### Termau allweddol

Canlyniad

Gofod posibilrwydd

Digwyddiad

Gofod sampl

### Cwestiynau dull arholiad

1 Mae Tim yn mynd i rolio troellwr â 4 ochr sydd â'r rhifau 1 i 4 arno a dis cyffredin sydd â 6 ochr. Darganfyddwch y tebygolrwydd y bydd y gwahaniaeth rhwng y ddau rif bydd e'n eu cael yn 2 neu lai. **[3]**

2 Aeth 19 person i mewn i siop de Tony. O'r 19 person hyn, roedd 12 wedi cael cwpanaid o de, 15 wedi cael bisged a 10 wedi cael cwpanaid o de a bisged. Mae un o'r bobl hyn yn cael ei ddewis ar hap. Beth yw'r tebygolrwydd nad oedd wedi cael cwpanaid o de na bisged? **[4]**

ATEBION WEDI'U GWIRIO

## Amcangyfrif tebygolrwydd

WEDI'I ADOLYGU ☐

**CANOLIG**

### Rheolau

❶ Mae amlder cymharol yn rhoi amcangyfrif o debygolrwydd.

❷ Amlder cymharol = $\frac{\text{amlder y digwyddiad}}{\text{cyfanswm yr amlder}}$

❸ Y mwyaf yw nifer yr arbrofion, mwyaf i gyd yw dibynadwyedd y tebygolrwydd amcangyfrifol.

### Enghreifftiau

**a** Mae siop lyfrau yn gwneud arolwg i ddarganfod a yw'n well gan bobl gael llyfrau wedi'u hargraffu neu lyfrau digidol. Mae'r tabl yn rhoi gwybodaeth am ganlyniadau'r 237 person cyntaf gafodd eu holi.

| | Wedi'u hargraffu | Digidol | Cyfanswm |
|---|---|---|---|
| **Gwrywod** | 59 | 17 | 76 |
| **Benywod** | 108 | 53 | 161 |
| **Cyfanswm** | 167 | 70 | 237 |

**i** Amcangyfrifwch y tebygolrwydd y bydd y person nesaf i gael ei holi yn yr arolwg yn y siop lyfrau **a** yn wryw **b** yn ffafrio llyfrau digidol.

**ii** Ydy'r canlyniadau'n dangos bod mwy o bobl yn ffafrio llyfrau wedi'u hargraffu na llyfrau digidol? Rhowch reswm dros eich ateb.

**Termau allweddol**

Digwyddiad

Tuedd

Arbrawf

Sampl

**b** Mae Omar yn taflu dis sydd â thuedd 20 gwaith ac yn cael chwech 5 gwaith. Mae Jasmine yn taflu'r un dis 150 o weithiau ac yn cael chwech 30 gwaith. Mae Omar a hefyd Jasmine yn defnyddio'u canlyniadau eu hunain i amcangyfrif y tebygolrwydd y bydd y dis yn glanio ar chwech y tro nesaf. Pwy sydd â'r amcangyfrif gorau, Omar neu Jasmine? Esboniwch pam.

**Atebion**

**a i a** Cafodd 76 o wrywod eu holi, felly amlder y digwyddiad yw 76.
Cafodd cyfanswm o 237 eu holi, felly cyfanswm yr amlder yw 237.

$P(\text{gwryw}) = \frac{\text{amlder y digwyddiad}}{\text{cyfanswm yr amlder}} = \frac{76}{237}$ ❶ ❷

**b** Mae 70 o bobl yn ffafrio digidol, felly amlder y digwyddiad yw 70.
Cafodd cyfanswm o 237 eu holi, felly cyfanswm yr amlder yw 237.

$P(\text{digidol}) = \frac{\text{amlder y digwyddiad}}{\text{cyfanswm yr amlder}} = \frac{70}{237}$ 

**ii** Nac ydynt. Efallai fod y canlyniadau â thuedd. Mae llyfrau wedi'u hargraffu yn cael eu gwerthu mewn siopau llyfrau, ac felly efallai fod mwy o bobl yn y siop lyfrau sy'n ffafrio cael llyfrau wedi'u hargraffu.

**b** Jasmine sydd â'r amcangyfrif gorau gan ei bod hi wedi taflu'r dis fwy o weithiau nag Omar. ❸

**Cyngor**

Rhaid ysgrifennu tebygolrwydd fel ffracsiwn, degolyn neu ganran.

Os yw tebygolrwydd wedi'i ysgrifennu fel ffracsiwn, does dim rhaid ei ysgrifennu ar ei ffurf symlaf.

### Cwestiynau dull arholiad

1 Mae Hilary yn taflu darn arian sydd â thuedd 20 gwaith. Dyma'r canlyniadau.
P, C, P, P, C, P, P, C, P, C, P, C, P, P, P, P, P, P, C, P

**a** Darganfyddwch amcangyfrif ar gyfer y tebygolrwydd y bydd y darn arian yn glanio ar 'Pen' y tro nesaf bydd hi'n ei daflu. **[2]**

**b** Mae Hilary yn mynd i daflu'r darn arian 300 o weithiau. Cyfrifwch amcangyfrif ar gyfer sawl gwaith bydd y darn arian yn glanio ar 'Cynffon'. **[2]**

2 Mewn arolwg o dwristiaid gofynnwyd i sampl o 60 o bobl ddewis rhwng mynd ar daith o amgylch Tŵr Llundain neu daith o amgylch Abaty Westminster. Cafodd 29 dyn eu samplu ac o'r rhain dewisodd 15 y Tŵr. Dewisodd 17 menyw yr Abaty. Darganfyddwch amcangyfrif ar gyfer y tebygolrwydd y bydd y person nesaf i gael ei holi yn dewis y Tŵr. **[4]**

ATEBION WEDI'U GWIRIO ☐

# Cwestiynau dull arholiad cymysg

**1** Mae Haley yn mynd i ddewis llythyren ar hap o'r gair STATISTICS. Ysgrifennwch y tebygolrwydd y bydd y llythyren yn S. **[1]**

**2** Y tebygolrwydd y bydd Marc yn cael het bapur lliw glas mewn cracer Nadolig yw 0.85. Cyfrifwch y tebygolrwydd na fydd e'n cael het bapur lliw glas yn y cracer Nadolig. **[2]**

**3** Roedd cwmni yswiriant wedi derbyn cyfanswm o 3467 o hawliadau llynedd. O'r rhain roedd 2125 am ddifrod i'r cartref. Eleni mae'r cwmni yswiriant yn disgwyl derbyn cyfanswm o 5000 o hawliadau.
Amcangyfrifwch nifer yr hawliadau am ddifrod i'r cartref eleni. **[2]**

**4** Mae Cheri yn troi troellwr teg â 5 ochr, sydd â'r rhifau 1, 2, 3, 4 a 5 arno, ac mae'n rholio dis cyffredin.
Beth yw'r tebygolrwydd y bydd Cheri yn cael

**a** 3 ar y troellwr a 3 ar y dis **[2]**

**b** 3 ar y troellwr neu 3 ar y dis neu 3 ar y ddau? **[2]**

**5** Mae bag A yn cynnwys 3 chownter coch a 2 gownter gwyrdd. Mae bag B yn cynnwys 4 cownter coch a 5 cownter gwyrdd. Mae bag C yn cynnwys 1 cownter coch a 6 chownter gwyrdd. Mae Hamish yn mynd i dynnu cownter ar hap o'r bag A. Os bydd e'n tynnu cownter coch bydd e'n tynnu cownter ar hap o'r bag B. Os bydd e'n tynnu cownter gwyrdd bydd e'n tynnu cownter ar hap o'r bag C.
Cyfrifwch y tebygolrwydd y bydd y ddau gownter â'r un lliw. **[4]**

**6** Mae Nima yn rholio 5 dis cyffredin. Cyfrifwch y tebygolrwydd y bydd e'n cael tri 6 yn union. **[3]**

**7** Roedd Rhod eisiau darganfod gwybodaeth am ba mor aml mae pobl yn defnyddio'r trên i deithio i'r gwaith a grŵp oedran mwyaf poblogaidd y bobl hyn.
Safodd y tu allan i'r orsaf drenau rhwng 08:15 a 09:00 gyda'r holiadur canlynol.
Gofynnodd i bobl oedd yn gadael yr orsaf ateb ei gwestiynau.

1 Beth yw eich oed?

Dan 16 ☐

16 i 30 ☐

30 i 40 ☐

Dros 40 ☐

2 Pa mor aml rydych chi'n defnyddio'r trên i deithio i'r gwaith?

Byth ☐

Weithiau ☐

Yn aml ☐

**a** Esboniwch pam gallai arolwg Rhod fod â thuedd. **[1]**

**b** Ysgrifennwch feirniadaethau o bob cwestiwn yn yr holiadur, gan nodi sut gallai'r cwestiynau gael eu gwella. **[4]**

# Yr iaith sy'n cael ei defnyddio mewn arholiadau mathemateg

- **Rhaid i chi ddangos eich gwaith cyfrifo...** byddwch chi'n colli marciau os na fyddwch yn dangos gwaith cyfrifo.
- **Amcangyfrifwch...** yn aml yn golygu talgrynnu rhifau i 1 ffigur ystyrlon.
- **Cyfrifwch...** mae angen rhywfaint o waith cyfrifo; felly dangoswch hynny!
- **Cyfrifwch/darganfyddwch...** mae angen gwaith cyfrifo yn ysgrifenedig neu yn y pen.
- **Ysgrifennwch...** fel arfer does dim angen gwaith cyfrifo ysgrifenedig.
- **Rhowch union werth...** dim talgrynnu na brasamcanu:
  - yn achos papur lle caniateir cyfrifiannell, ysgrifennwch bob rhif ar eich cyfrifiannell.
  - yn achos papur lle na chewch ddefnyddio cyfrifiannell, rhowch eich ateb yn nhermau $\pi$.
- **Rhowch eich ateb i raddau priodol o fanwl gywirdeb...** os yw'r rhifau yn y cwestiwn wedi'u rhoi i 2 le degol, rhowch eich ateb i 2 le degol.
- **Rhowch eich ateb ar ei ffurf symlaf...** fel arfer mae angen canslo ffracsiwn neu gymhareb.
- **Symleiddiwch...** casglwch dermau tebyg at ei gilydd mewn mynegiad algebraidd.
- **Datryswch...** fel arfer yn golygu darganfod gwerth $x$ mewn hafaliad.
- **Ehangwch...** lluosi'r cromfachau.
- **Lluniwch, gan ddefnyddio pren mesur a chwmpas...** defnyddio'r pren mesur fel ymyl syth a rhaid defnyddio'r cwmpas i luniadu arcau. **Rhaid** i chi ddangos pob llinell lunio.
- **Mesurwch...** defnyddio pren mesur neu onglydd i fesur hydoedd neu onglau yn fanwl gywir.
- **Lluniadwch ddiagram manwl gywir...** defnyddio pren mesur ac onglydd – rhaid i hydoedd fod yn union gywir, rhaid i onglau fod yn fanwl gywir.
- **Gwnewch *y* yn destun y fformiwla...** ad-drefnu'r fformiwla i gael $y$ ar ei phen ei hun ar un ochr, e.e. $y = \frac{2x - 3}{4}$
- **Brasluniwch...** does dim angen lluniad manwl gywir – bydd lluniad llawrydd yn cael ei dderbyn.
- **NID yw'r diagram wedi'i luniadu'n fanwl gywir...** peidiwch â mesur onglau nac ochrau – rhaid i chi eu cyfrifo os byddan nhw'n gofyn i chi amdanyn nhw.
- **Rhowch resymau dros eich ateb... NEU esboniwch pam...** mae angen esboniadau mewn geiriau gan gyfeirio at y theori gwnaethoch chi ei defnyddio.
- **Defnyddiwch eich/y graff...** darllenwch y gwerthoedd o'ch graff a defnyddiwch nhw.
- **Disgrifiwch yn llawn...** fel arfer trawsffurfiadau:
  - Trawsfudiad
  - Adlewyrchiad mewn llinell
  - Cylchdro drwy ongl o amgylch pwynt
  - Helaethiad yn ôl ffactor graddfa o amgylch pwynt
- **Rhowch reswm dros eich ateb...** fel arfer mewn cwestiynau onglau, mae angen rheswm ysgrifenedig, e.e. 'onglau mewn triongl yn adio i 180°' neu 'onglau cyfatebol', etc.
- **Rhaid i chi esbonio eich ateb...** mae angen esboniad mewn geiriau ynghyd â'r ateb.
- **Dangoswch sut gwnaethoch chi gael eich ateb...** dangoswch eich holl waith cyfrifo. Efallai bydd angen geiriau hefyd.
- **Disgrifiwch...** atebwch y cwestiwn gan ddefnyddio geiriau.
- **Ysgrifennwch unrhyw dybiaethau rydych chi'n eu gwneud...** disgrifiwch unrhyw bethau rydych chi wedi tybio eu bod yn gywir wrth roi eich ateb.
- **Dangoswch...** fel arfer mae gofyn i chi ddefnyddio algebra neu resymau i ddangos bod rhywbeth yn gywir.

# Techneg arholiad a fformiwlâu fydd yn cael eu rhoi

- Byddwch yn barod a gwybod beth i'w ddisgwyl.
- Peidiwch â dysgu pwyntiau allweddol yn unig.
- Gweithiwch drwy gyn-bapurau. Dechreuwch o'r cefn a gweithio tuag at y cwestiynau hawsaf. Bydd eich athro yn gallu eich helpu.
- Ymarfer yw'r peth allweddol, fyddwch chi ddim yn llwyddo heb hynny.
- Darllenwch y cwestiynau'n fanwl.
- Croeswch atebion allan os byddwch chi'n eu newid, rhowch **un** ateb yn unig.
- Tanlinellwch y ffeithiau allweddol yn y cwestiwn.
- Amcangyfrifwch yr ateb.
- Ydy'r ateb yn gywir/realistig?
- Gwnewch yn siŵr bod gennych yr offer iawn.
  - Cyfrifiannell
  - Beiros
  - Pensiliau
  - Pren mesur, cwmpas, onglydd
  - Rwber
  - Papur dargopïo
  - Offer sbâr.
- Peidiwch byth â rhoi dau ateb gwahanol i gwestiwn.
- Peidiwch byth â rhoi dim ond un ateb os oes mwy nag 1 marc.
- Peidiwch â mesur diagramau pan nad yw'r diagram wedi'i luniadu'n fanwl gywir.
- Peidiwch byth â rhoi dim ond yr ateb wedi'i dalgrynnu; dylech bob amser ddangos yr ateb llawn yn y lle gwag ar gyfer cyfrifo.
- Darllenwch bob cwestiwn yn ofalus.
- Dangoswch gamau yn eich gwaith cyfrifo.
- Gwiriwch fod eich ateb yn cynnwys yr unedau.
- Gweithiwch yn gyson drwy'r papur.
- Gadewch gwestiynau na allwch chi eu gwneud ac yna ewch yn ôl atyn nhw os oes amser.
- Defnyddiwch farciau fel canllaw ar gyfer amser: 1 marc = 1 munud.
- Cyflwynwch atebion clir ar waelod y lle gwag priodol.

- Ewch yn ôl at gwestiynau dydych chi ddim wedi'u gwneud.
- Darllenwch y wybodaeth o dan y diagram – mae hon yn fanwl gywir.
- Defnyddiwch gofeiriau i helpu i gofio fformiwlâu bydd eu hangen arnoch, er enghraifft:
  - Ar gyfer trefn gweithrediadau, CORLAT: Cromfachau, Orchmynion (indecsau), Rhannu, Lluosi, Adio, Tynnu
  - Trionglau fformiwla ar gyfer y berthynas rhwng tri pharamedr, e.e. buanedd, pellter ac amser

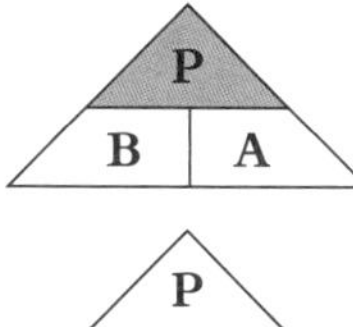


Pellter = Buanedd × Amser

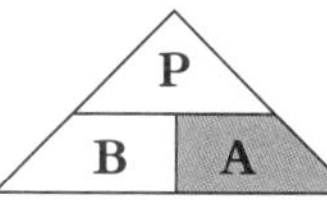


$$\text{Amser} = \frac{\text{Pellter}}{\text{Buanedd}}$$

$$\text{Buanedd} = \frac{\text{Pellter}}{\text{Amser}}$$

# Meysydd cyffredin lle mae myfyrwyr yn gwneud camgymeriadau

Mae myfyrwyr yn aml yn gwneud gwallau mewn rhai testunau yn ystod arholiad.
Dyma rai ohonyn nhw.

## Rhif

**Rheolau**

1. Rhif sy'n rhannu i mewn i rif arall yw ffactor, e.e. mae 2 yn ffactor 6.
2. Mae lluosrif yn aelod o dabl lluosi'r rhif hwnnw, e.e. mae 6 yn lluosrif 2.
3. Rhif sy'n gallu cael ei rannu ag 1 a'r rhif ei hun yn unig yw rhif cysefin, e.e. 2, 3, 5, 7, 11 ...

| | Cwestiwn | Gwaith cyfrifo | Ateb |
|---|---|---|---|
| **Adio** | $\frac{2}{3}+\frac{1}{4}$ | Ysgrifennu ffracsiynau cywerth: $\frac{2}{3}=\frac{4}{6}=\frac{6}{9}=\frac{8}{12}$ ac $\frac{1}{4}=\frac{2}{8}=\frac{3}{12}$ 12 yw Lluosrif Cyffredin Lleiaf 3 a 4, felly ysgrifennu'r ffracsiynau yn rhannau o 12: $\frac{8}{12}+\frac{3}{12}=\frac{8+3}{12}=\frac{11}{12}$ | $\frac{11}{12}$ |
| **Tynnu** | $\frac{2}{3}-\frac{1}{4}$ | Defnyddio'r un dull ag adio ond tynnu, felly rydyn ni'n cael: $\frac{8}{12}-\frac{3}{12}=\frac{8-3}{12}=\frac{5}{12}$ | $\frac{5}{12}$ |
| **Lluosi** | $\frac{2}{5}\times\frac{3}{8}$ | Lluosi'r rhannau uchaf â'i gilydd ac yna rhannau isaf y ffracsiynau: $\frac{2\times3}{5\times8}=\frac{6}{40}$ yna canslo â 2 | $\frac{3}{20}$ |
| **Rhannu** | $\frac{5}{12}\div\frac{2}{3}$ | Ysgrifennu'r ffracsiwn cyntaf, troi'r ail ffracsiwn wyneb i waered a lluosi: $\frac{5}{12}\times\frac{2}{3}=\frac{15}{24}$ yna canslo â 3 | $\frac{5}{8}$ |

| | Cwestiwn | Gwaith cyfrifo | Ateb |
|---|---|---|---|
| **Newid ffracsiwn yn ddegolyn** | Ysgrifennwch $\frac{3}{8}$ fel degolyn. | Rhannu rhif y rhan uchaf â rhif y rhan isaf, felly rhannu 3 ag 8: $8\overline{)3.{}^{3}0{}^{6}0{}^{4}0}$ = 0.375 | 0.375 |

| | Cwestiwn | Gwaith cyfrifo | Ateb |
|---|---|---|---|
| **Darganfod ffracsiwn o swm** | Darganfyddwch $\frac{3}{5}$ o £4.80. | Rydyn ni'n gallu ysgrifennu hyn fel $\frac{3}{5} \times £4.80$.<br>Mae rheol syml ar gyfer y cyfrifiad hwn, sef 'Rhannu â'r gwaelod a Lluosi â'r top'<br>$£4.80 \div 5 = 0.96$ yna $0.96 \times 3 = £2.88$ | £2.88 |
| **Darganfod canran o swm** | Cyfrifwch 60% o £4.80. | Rydyn ni'n gallu ysgrifennu hyn fel $\frac{60}{100} \times £4.80$.<br>Rydyn ni'n gallu defnyddio'r un rheol, felly rhannu â 100 a lluosi â 60:<br>$£4.80 \div 100 \times 60 = £2.88$ | £2.88 |

| | Cwestiwn | Gwaith cyfrifo | Ateb |
|---|---|---|---|
| **Amcangyfrif** | Amcangyfrifwch $\frac{76.15 \times 0.49}{19.04}$ | Ysgrifennu pob rhif i un ffigur ystyrlon, fel bod:<br>76.15 yn dod yn 80<br>0.49 yn dod yn 0.5<br>19.04 yn dod yn 20<br>Cofio bod angen i faint yr amcangyfrif fod yn debyg i'r rhif gwreiddiol.<br>Felly $80 \times 0.5 = 40$ a $40 \div 20 = 2$ | 2 |

| | Cwestiwn | Gwaith cyfrifo | Ateb |
|---|---|---|---|
| **Defnyddio cyfrifiannell** | Cyfrifwch $\frac{76.15 + 5.62^2}{19.04}$ | Mae angen naill ai rhoi'r cyfrifiad cyfan i mewn i'r cyfrifiannell gan ddefnyddio'r botwm ffracsiwn neu gyfrifo'r rhan uchaf yn gyntaf ac yna rhannu'r ateb â'r rhan isaf.<br>$76.15 + 5.62^2 = 107.7344$<br>$107.73 \div 19.04 = 5.658\ 319\ 327$ | 5.658 319 327 |

## Algebra

**Rheolau**

$2y + y = 3y$; $2y - y = y$; $2y \times y = 2y^2$; $2y \div y = 2$

$y^m \times y^n = y^{m+n}$ $y^m \div y^n = y^{m-n}$ $(y^m)^n = y^{mn}$

| | Cwestiwn | Gwaith cyfrifo | Ateb |
|---|---|---|---|
| **Casglu termau tebyg** | Symleiddiwch<br>**a** $2ab + 3ab - ab$<br>**b** $3y^2 - y^2$ | <br>$= 2ab + 3ab - 1ab$<br>$= 3y^2 - 1y^2$ | <br>$4ab$<br>$2y^2$ |

| | Cwestiwn | Gwaith cyfrifo | Ateb |
|---|---|---|---|
| **Lluosi'r cromfachau** | Ehangwch | | |
| | **a** $3(4p+5)$ | $= 3 \times 4p + 3 \times 5$ | $12p + 15$ |
| | **b** $7p - 4(p - q)$ | $= 7p - 4 \times p - 4 \times -q = 7p - 4p + 4q$ | $3p + 4q$ |
| | **c** $(y+3)(y-4)$ | $= y \times y + y \times -4 + 3 \times y + 3 \times -4$ | |
| | | $= y^2 - 4y + 3y - 12$ | $y^2 - y - 12$ |

| | Cwestiwn | Gwaith cyfrifo | Ateb |
|---|---|---|---|
| **Datrys hafaliadau** | Datryswch | | |
| | **a** $3t - 2 = 4$ | $3t = 4 + 2$ felly $3t = 6$ | $t = 2$ |
| | **b** $3f + 4 = 5f - 3$ | $4 + 3 = 5f - 3f$ felly $7 = 2f$ neu $2f = 7$ | $f = 3.5$ |
| | **c** $5(x+2) = 3$ | $5x + 10 = 3$ felly $5x = 3 - 10$ neu $5x = -7$ | $x = -1.4$ |
| | **ch** $y^2 - 3y - 10 = 0$ | $(y+2)(y-5) = 0$ felly $y + 2 = 0$ neu $y - 5 = 0$ | $y = -2$ neu $y = 5$ |

## Geometreg a Mesurau

**Rheolau**

**Perimedr** siâp yw'r pellter o amgylch ei ymyl. Rydyn ni'n **adio** hydoedd pob ochr at ei gilydd.

**Arwynebedd** siâp yw faint o arwyneb gwastad sydd ganddo. Rydyn ni'n **lluosi** dau hyd.

**Cyfaint** siâp yw faint o le sydd ganddo. Rydyn ni'n **lluosi** tri hyd.

Mae onglau eiledol ar siâp y llythyren **Z**.

Mae onglau cyfatebol ar siâp y llythyren **F**.

Mae onglau mewnol neu onglau atodol ar siâp y llythyren **C**.

| | Cwestiwn | Gwaith cyfrifo | Ateb |
|---|---|---|---|
| **Perimedr siâp** | Darganfyddwch beth yw perimedr y siâp hwn. 3 cm, 5 cm | Ar gyfer petryal, adio hydoedd y pedair ochr. $3 + 5 + 3 + 5 = 16$ | 16 cm |

| | Cwestiwn | Gwaith cyfrifo | Ateb |
|---|---|---|---|
| **Arwynebedd siâp** | Darganfyddwch arwynebedd y siâp hwn. 3 cm, 6 cm | Ar gyfer y triongl ongl sgwâr hwn mae angen defnyddio'r fformiwla: Arwynebedd $= \frac{1}{2}$ sail $\times$ uchder fertigol. Felly arwynebedd $= \frac{1}{2} \times 6 \times 3 = 9$. Rydyn ni wedi lluosi dau hyd. | 9 cm$^2$ |

| | Cwestiwn | Gwaith cyfrifo ac Ateb |
|---|---|---|
| **Onglau rhwng llinellau paralel** | Darganfyddwch yr onglau coll yn y diagram hwn. Rhowch resymau dros eich ateb. | $a = 50°$ (Onglau eiledol yn hafal)<br>$b = 130°$ (Onglau mewnol neu atodol yn adio i 180°)<br>$c = 50°$ (Onglau cyfatebol yn hafal) |

| | Cwestiwn | Gwaith cyfrifo ac Ateb |
|---|---|---|
| **Darganfod onglau coll a rhoi rhesymau** | Triongl isosgeles yw *ABC*.<br>Llinell syth yw *BCD*.<br>Darganfyddwch, gan roi rhesymau, ongl *ACD*. | Ongl *ABC* = (180 − 50) ÷ 2 = 65°<br>(Tair ongl triongl yn adio i 180°)<br>Ongl *ACB* = Ongl *ABC* = 65°<br>(Onglau sail triongl isosgeles yn hafal)<br>Ongl *ACD* = 180 − 65 = 115°<br>(Swm yr onglau ar linell syth = 180°) |

## Ystadegaeth a Thebygolrwydd

<table>
<tr><th></th><th>Cwestiwn</th><th>Gwaith cyfrifo</th><th>Ateb</th></tr>
<tr><td>Siart cylch</td><td>Lluniadwch siart cylch ar sail y wybodaeth hon.
<table>
<tr><th>Hoff liw</th><th>a</th></tr>
<tr><td>Coch</td><td>7</td></tr>
<tr><td>Glas</td><td>4</td></tr>
<tr><td>Gwyrdd</td><td>2</td></tr>
<tr><td>Melyn</td><td>3</td></tr>
<tr><td>Du</td><td>4</td></tr>
</table></td><td>Gan fod siartiau cylch yn seiliedig ar gylch, mae angen rhannu nifer y graddau mewn tro cyfan (360°) â chyfanswm yr amlder sef 20.<br>Felly 360° ÷ 20 = 18°<br>Yna cyfrifo'r ongl ar gyfer pob lliw drwy luosi ei amlder ag 18°.</td><td>Coch = 7 × 18° = 126°<br>Glas = 4 × 18° = 72°<br>Gwyrdd = 2 × 18° = 36°<br>Melyn = 3 × 18° = 54°<br>Du = 4 × 18° = 72°<br>Yna lluniadu'r siart cylch.</td></tr>
</table>

# Wythnos i fynd...

**Mae angen i chi wybod y fformiwlâu a'r technegau hanfodol hyn.**

## Rhif

| Testun | Fformiwla | | Pryd i'w defnyddio |
|---|---|---|---|
| **Rhifau negatif** | + + = + | − − = + | Dau arwydd nesaf at ei gilydd |
| | + − = − | − + = − | |
| | + × + = + | − × − = + | Lluosi cyfanrifau |
| | + × − = − | − × + = − | |
| | + ÷ + = + | − ÷ − = + | Rhannu cyfanrifau |
| | + ÷ − = − | − ÷ + = − | |
| **Trefn gweithrediadau** | CORLAT | | Os oes angen gwneud cyfrifiad. Defnyddio'r drefn Cromfachau, Orchmynion (indecsau), Rhannu, Lluosi, Adio, Tynnu. |
| **Canrannau** | $20\%$ o $50 = \frac{20}{100} \times 50$ | | Darganfod canran o swm, e.e. 20% o 50. |
| **Llog syml** | Llog syml ar £150 am 5 mlynedd ar 3%<br>$\frac{3}{100} \times 150 \times 5$ | | I ddarganfod y **llog syml**, darganfod y llog ar gyfer un flwyddyn a lluosi â nifer y blynyddoedd. |
| **Ffurf safonol** | $2.5 \times 10^{3} = 2500$<br>$2.5 \times 10^{-3} = 0.0025$ | | Rhif yn y ffurf safonol yw<br>(rhif rhwng 1 a 10) × (pŵer o 10) |
| **Brasamcanu** | Lleoedd degol | | Rydyn ni'n talgrynnu i nifer o leoedd degol drwy edrych ar y lle degol nesaf a thalgrynnu i fyny neu i lawr. |

## Geometreg a Mesurau

| Testun | Fformiwla | Pryd i'w defnyddio |
|---|---|---|
| **Ochrau paralel** | | Dangos ochrau paralel â saethau. |
| **Ochrau hafal** | | Dangos ochrau hafal â llinellau byr. |
| **Perimedr** | Adio hydoedd pob ochr. | Darganfod perimedr unrhyw siâp 2D. |

| | | |
|---|---|---|
| **Arwynebeddau siapiau 2D** | Arwynebedd $= h \times ll$ | Arwynebedd petryal yw hyd × lled<br>$ll$<br>$h$ |
| | Arwynebedd $= \frac{1}{2} s \times u$ | Arwynebedd triongl yw $\frac{1}{2}$sail × uchder fertigol<br>$u$<br>$s$ |
| | Arwynebedd $= s \times u$ | Arwynebedd paralelogram yw sail × uchder fertigol<br>$u$<br>$s$ |
| | Arwynebedd $= \frac{1}{2}(a + b) \times u$ | Arwynebedd trapesiwm yw $\frac{1}{2}$ swm yr ochrau paralel × yr uchder fertigol<br>$a$<br>$u$<br>$b$ |
| **Cylchedd ac arwynebedd cylch** | $C = \pi \times D$ neu $C = \pi \times 2r$<br><br>$A = \pi \times r^2$ | Cylchedd neu berimedr cylch yw:<br>pi × diamedr **neu** pi × dwbl y radiws<br>Arwynebedd cylch yw pi × radiws wedi'i sgwario<br>$r$<br>D |
| **Cyfeintiau siapiau 3D** | $C = h \times ll \times u$ | Cyfaint ciwboid yw:<br>hyd × lled × uchder |

# Atebion

## Rhif

### Gwiriad cyn adolygu (tudalen 1)

**1 a** 8.5 **b** 18 **c** 1.4
**2 a** 25.392 **b** 56.7
**3 a** 26.1 **b** 26.38
**4 a** 0.018 **b** 124.5 **c** 254 900 **ch** 48.7
**5 a** $5.72 \times 10^{-3}$ **b** 31 840
**6 a** 16.4 **b** 16.35 **c** 16.355
**7 a** 3000 **b** 0.003
**8 a** $\frac{5}{18}$ **b** $\frac{3}{55}$ **c** 9 **ch** $\frac{1}{2}$
**9 a** $\frac{11}{60}$ **b** $3\frac{5}{12}$ **c** $18\frac{4}{15}$ **ch** 10 **d** $1\frac{1}{5}$
**10 a i** 55% **ii** 190% **b i** $\frac{3}{50}$ **ii** 0.06
**11 a** £13 **b** 374 m
**12 a** 8% **b** 25%
**13 a** 105 m, 175 m **b** $\frac{5}{9}$
**14** 1976 g neu 1.976 kg
**15 a** $3^5$ **b** $3^5$ **c** $3^{18}$
**16** $2 \times 2 \times 3 \times 3 \times 5 \times 7$

### CORLAT (tudalen 2)

**1 a** 4 **b** $3 + (9 - 5) \times 2 = 11$
**2** $7 - 10 \div (3 + 2) = 5$ **3** 0.9435...

### Lluosi degolion a rhifau negatif (tudalen 3)

**1** 614.6
**2** Mae Siop A (£64.32) yn rhatach na Siop B (£64.80)
**3** £10.48
**4** 2

### Rhannu degolion a rhifau negatif (tudalen 4)

**1** £7.92
**2** 6 (6.65)
**3** £253.60
**4** –3

### Defnyddio'r system rifau yn effeithiol (tudalen 5)

**1 a** 0.539 **b** 4580
**2 a** 4165 **b** 11.9 **c** 0.833

### Deall y ffurf safonol (tudalen 6)

**1 a** $7.2 \times 10^{-2}$ **b** $2.389 \times 10^5$
**2 a** 9 140 000 **b** 0.000 518 **3** $17 \times 10^{-2}$

### Talgrynnu i leoedd degol a brasamcanu (tudalen 7)

**1** 11.44 $cm^2$
**2** 2000

### Lluosi a rhannu ffracsiynau (tudalen 8)

**1 a** $\frac{1}{48}$ **b** $\frac{20}{9}$
**2 a** $\frac{1}{6}$ **b** $\frac{2}{15}$

### Adio a thynnu ffracsiynau a gweithio gyda rhifau cymysg (tudalen 9)

**1 a** $\frac{23}{24}$ **b** $2\frac{5}{6}$
**2 a** $\frac{5}{8}$ **b** $\frac{9}{40}$
**3** $11\frac{1}{3}m^2$

### Trawsnewid ffracsiynau a degolion yn ganrannau ac o ganrannau (tudalen 10)

**1** 20% 0.202 0.21 $\frac{2}{9}$ $\frac{1}{4}$
**2** 0.031 818 18... **3** 21.25%

### Cyfrifo canrannau a chymhwyso cynnydd a gostyngiad canrannol at symiau (tudalen 11)

**1** 12.75 cm
**2** £405 yn yr arwerthiant, felly gallai gael £5 yn fwy
**3** 108 cyn ac 104 ar ôl, felly wedi gostwng

### Darganfod y newid canrannol rhwng un swm a swm arall (tudalen 12)

**1** 2.5% **2** Colli 3.75%
**3** Nazia (15%) yn fwy na Debra (14.5%)

### Cwestiynau dull arholiad cymysg (tudalen 13)

**1** $5 \times (2 + 3) - 7 = 18$ $5 \times 2 + (3 - 7) = 6$
**2** Nac ydy, Naomi = £446.95 ac Izmail = £441
**3 a** tiwb = 1.2c am bob melysyn, blwch = 1.25c am bob melysyn, felly tiwb yw'r mwyaf economaidd.
**b** 1 blwch a 2 diwb
**4 a** 1.6107 **b** 158.34
**5 a** $0.5 \times 7.6 \times 4.0 = 15.2\,cm^2$
**b** llai gan fod y ddau ddimensiwn yn llai
**6** £7200

### Rhannu yn ôl cymhareb benodol (tudalen 14)

**1** £60, £48, £24
**2** 6384
**3** Pecyn bach gan fod £4.30 ÷ 3 = £1.43 y gyfran, £6.30 ÷ 4 = £1.58 y gyfran a £7.50 ÷ 5 = £1.50 y gyfran

### Gweithio gyda meintiau cyfrannol (tudalen 15)

**1** £9.75 **2** £1.35 **3** 88

## Nodiant indecs (tudalen 16)

**1 a** $10^4$ **b** 32 768 **2** $2^{15}$

**3** $10^4 \times 10^5 = 10^9$, $10 \times 10^2 = 10^3$, $\frac{10^{20}}{10^2} = 10^{18}$, $10^4 = 10\,000\,000\,000$

## Ffactorio rhifau cysefin (tudalen 17)

**1 a** $2 \times 2 \times 2 \times 2 \times 2 \times 3$

**b i** 24 **ii** 480

**2** Dydd Sadwrn 8:00 a.m.

## Cwestiynau dull arholiad cymysg (tudalen 18)

**1 a** $\frac{5}{8}$ **b** $\frac{1}{9}$

**2** $3\frac{13}{63}$ awr

**3** Rachel, gan fod cyflog Rachel = £35 880 a chyflog Peter = £34 874

**4 a** 1363 **b** 23.5% **5** $\frac{6}{35}$

**6 a** Bill, gan fod Bill = 1.25 m³ Sandra = 1.23 m³

**b** Byddai angen llai arno, gan fod $\frac{2}{19} < \frac{1}{8}$

**7** Canolig, oherwydd ar gyfer potel fach mae 1 peint = £1.24, ar gyfer potel ganolig mae 1 peint = £1.22, ar gyfer potel fawr mae 1 peint = £1.23

# Algebra

## Gwiriad cyn adolygu (tudalen 19)

**1** 8

**2 a** $a = 2$ **b** $b = 15$ **c** $c = \frac{2}{5}$ **ch** $e = -6$

**3 a i** $10a + 15$ **ii** $3h^2 - 6h$ **iii** $12x^2 - 6xy$

**b i** $6(y + 2)$ **ii** $3p(2p - 3)$

**iii** $5e(e + 2f)$ **iv** $4xy(2x - 3y)$

**4 a** $x = 3$ **b** $p = -0.75$ **c** $y = -1\frac{1}{11}$

**5 a** $g = 3$ **b** $h = -\frac{2}{7}$ **c** $k = -7$

**6 a** $6n - 2$ **b** 298

**c** Os yw $6n - 2 = 900$ yna mae $6n = 902$ ac mae $n = 150.3$. Rhaid i rifau'r termau fod yn rhifau cyfan ac felly dydy 900 ddim yn aelod o'r dilyniant.

**7 a**

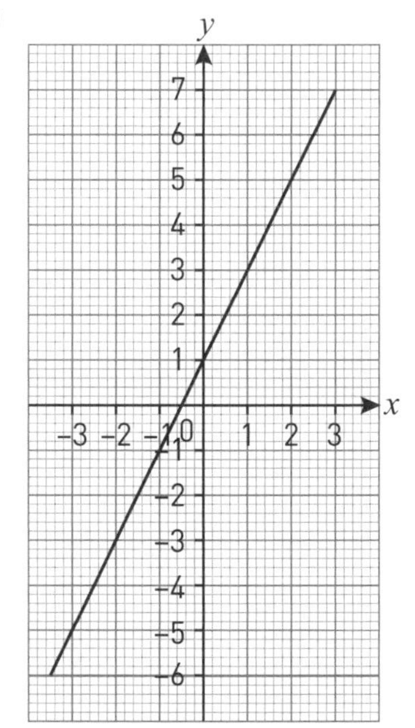


**b** $x = 2.5$

**8** 08:00 a 12:48

## Gweithio gyda fformiwlâu (tudalen 20)

**1 a** 10 **b** 90

**2 a** 2 awr neu 120 munud **b** 4.5 kg

## Llunio a datrys hafaliadau syml (tudalen 21)

**1 a** $a = 10$ **b** $b = 15$ **c** $c = -\frac{2}{3}$

**ch** $d = 10$ **d** $e = 1.5$ **2** 76 cm²

## Defnyddio cromfachau (tudalen 22)

**1** Mae Amy yn 8, mae Beth yn 11 ac mae Cath yn 22

**2** $x = 8.5$; 36 cm

## Hafaliadau mwy cymhleth a datrys hafaliadau gyda'r anhysbysyn ar y ddwy ochr (tudalen 23)

**1** 104 cm²

**2** Hafalu dwy ongl: $2x + 30 = 5x - 15$

Datrys: $45 = 3x$; $x = 15$

NEU cyfanswm yr onglau yw $10x + 30 = 180$

Datrys: $10x = 150$; $x = 15$

Mae amnewid $x = 15$ i mewn i bob mynegiad yn rhoi 60° ar gyfer pob ongl. Felly mae'r triongl ABC yn hafalochrog. Rydw i wedi tybio bod pob un o onglau triongl hafalochrog yn 60°.

## Datrys hafaliadau sydd â chromfachau (tudalen 24)

**1** $n = 6$ **2** 2250 cm²

## Dilyniannau llinol (tudalen 25)

**1 a** 27 **b** $4n + 3$

**c** $4n + 3 = 163$ felly $4n = 160$ ac $n = 40$ felly mae 163 yn derm yn y dilyniant

**2** $n$fed term yw $59 - 4n$ felly mae $59 - 4n < 0$ felly mae $59 < 4n$ felly mae $n > 14.75$ sy'n gwneud $n = 15$

## Cwestiynau dull arholiad cymysg (tudalen 26)

**1 a** 37°C **b** −40°C

**2** 10:20 a.m

**3** $\frac{40x + 60}{4} = 10x + 15$, $\frac{40x + 60}{5} = 8x + 12$;

$10x + 15 - (8x + 12) = 2x + 3$

**4** 17

**5 a** $n + n + 1 + n + 2 + 10 + n + 1 + 20 + n + 1 = 5n + 35 = 5(n + 7)$

**b** Os yw $5n + 35 = 130$; yna mae $n = 19$. Ni all $n$ fod yn hafal i 19 oherwydd na fydd ar y grid.

### Plotio graffiau ffwythiannau llinol (tudalen 28)

**1 a**

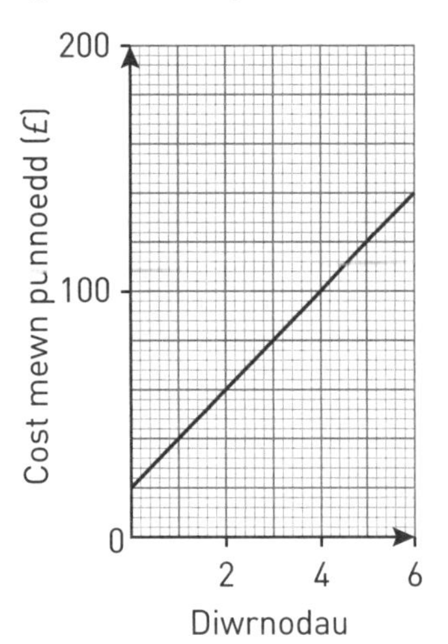


**b** 6 diwrnod

**2 a**

| $x$ | −3 | −2 | −1 | 0 | 1 | 2 | 3 |
|---|---|---|---|---|---|---|---|
| $y$ | −7 | −5 | −3 | −1 | 1 | 3 | 5 |

**b**

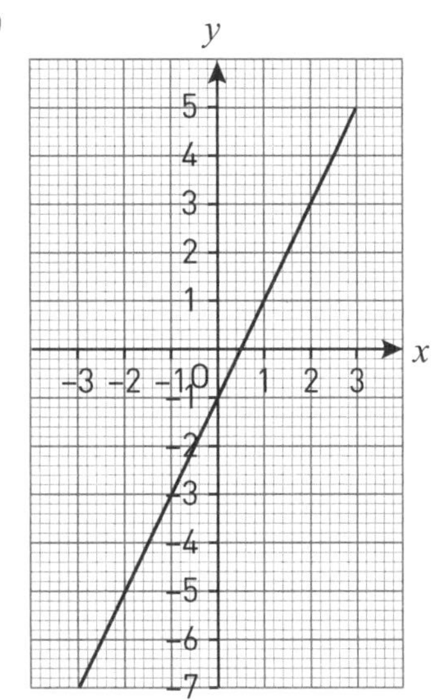


**c** $x = 2.5$

### Graffiau bywyd go iawn (tudalen 29)

**a** 08 00 **b** 15 munud **c** 30 munud
**ch** 10 15 **d** 9 milltir **dd** 1 awr
**e** 45 munud **f** 12 milltir yr awr

### Cwestiynau dull arholiad cymysg (tudalen 30)

**1 a** £80 **b** £15

**c** Tynnu llinell ar y graff o (0, 0) i (4, 100) neu gymharu'r gost am bob diwrnod
Hyd at 1 diwrnod mae'n fwy rhad gyda *Car Co*, mae 2 ddiwrnod yn costio'r un fath gyda'r ddau gwmni, ond mae 3 diwrnod neu fwy yn fwy rhad gyda *Cars 4 U*.

**2**

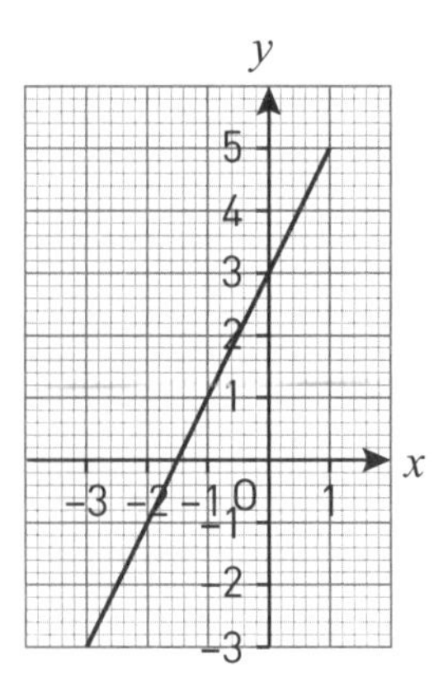


## Geometreg a Mesurau

### Gwiriad cyn adolygu (tudalen 31)

**1** 100 o filltiroedd

**2 a**

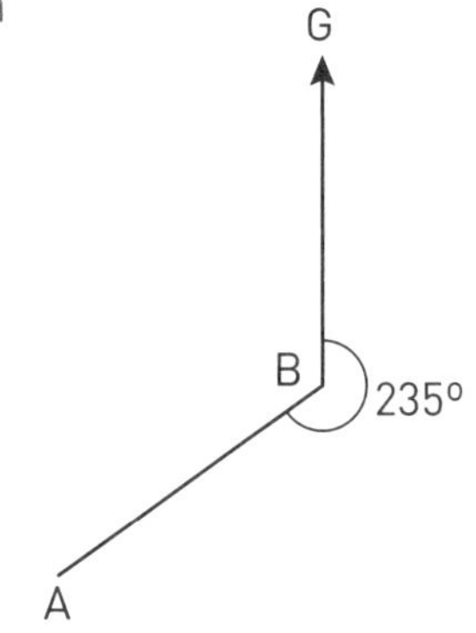


**b** 055°

**3 a** 17 m **b** 14 cm **4** 86.4 m

**5 a** Trapesiwm **b** Sgwâr, rhombws
**c** Petryal, paralelogram, rhombws

**6** a = 67°, b = 67°

**7** Ongl allanol = 30°, ongl fewnol = 150°

**8** Arwynebedd: 48 $cm^2$
Perimedr: 30 cm

**9** Arwynebedd = 78.54 $cm^2$, cylchedd = 31.42 cm

**10**

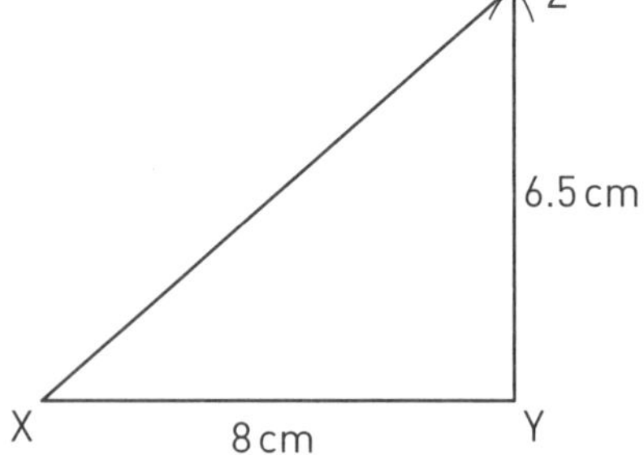

**11**

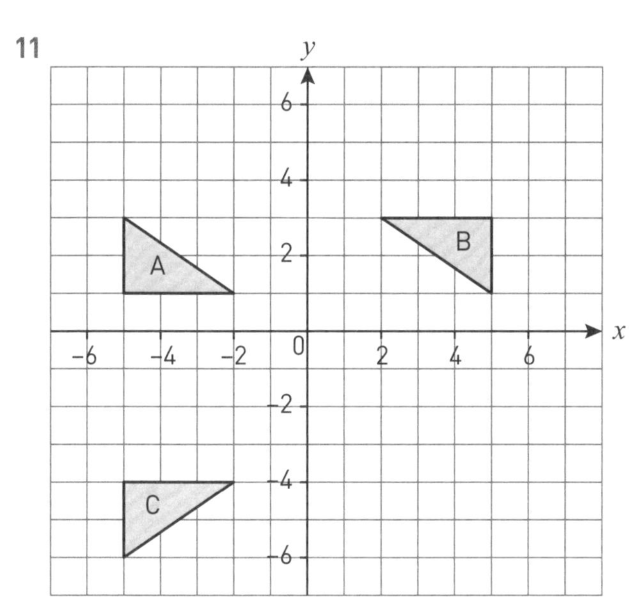


**12** Cylchdro 90° yn wrthglocwedd o amgylch (3,–1)

**13 a**

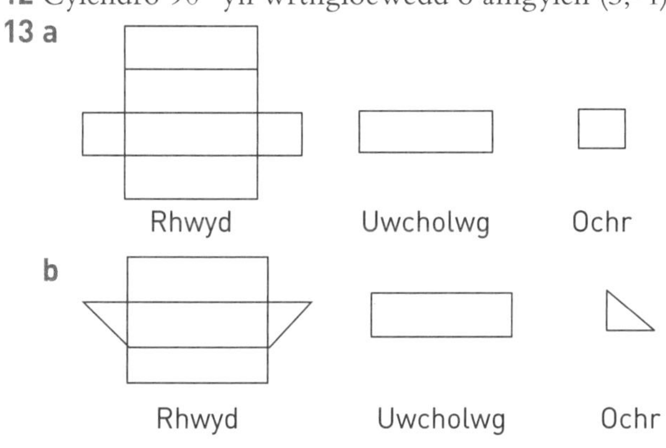


**14** $40\,cm^3$, $76\,cm^2$

**15** $254\,mm^3$, $226\,mm^2$

**16**

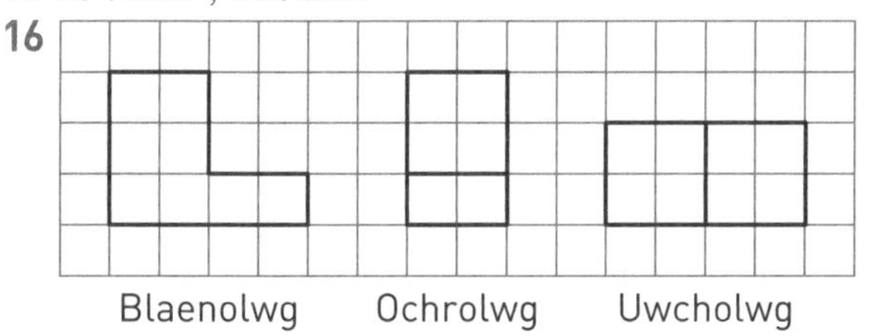


## Trawsnewid yn fras rhwng unedau metrig ac imperial (tudalen 33)

**1** 480 o beintiau

**2** 552 km

## Cyfeiriannau a lluniadau wrth raddfa (tudalen 34)

**1 a** Lluniad manwl gywir

**b** 228°

**2 a** 2 km  **b** 26.8 cm  **3** 260°

## Unedau cyfansawdd (tudalen 35)

**1** 918 km/awr

**2** 400 o eiliadau neu 6 munud 40 eiliad  **3** 64 litr

## Mathau o drionglau a phedrochrau (tudalen 37)

**1** $x = 45°$, $y = 135°$

**2** Mae ABCD yn rhombws neu'n baralelogram

**3** 96°

## Onglau a llinellau paralel (tudalen 38)

**1** $x = 47°$ (mae $x°$ a 47° yn onglau eiledol ac felly yn hafal), $y = 97°$ (mae $y°$ ac 83° yn onglau atodol, yn adio i 180° )

**2** $x = 52°$

## Onglau mewn polygon (tudalen 39)

**1** 117°

**2** $m = 36°$, swm ongl fewnol ac ongl allanol = 180°
swm onglau allanol polygon = 360°
felly nifer yr onglau allanol = 360 ÷ 36,
felly $n = 10$

## Darganfod arwynebedd a pherimedr (tudalen 40)

**1** perimedr: 18 cm, arwynebedd: $13.5\,cm^2$

**2** $24\,cm^2$

## Cylchedd ac arwynebedd cylchoedd (tudalen 41)

**1** 79.6 o gylchdroeon  **2 a** 7.00 m  **b** $61.3\,m^2$

## Cwestiynau dull arholiad cymysg (tudalen 42)

**1** $\frac{1}{2}$kg ≈ 1.1 pwys a $\frac{1}{4}$kg ≈ 0.55 pwys

**2 a** 9 km  **b**

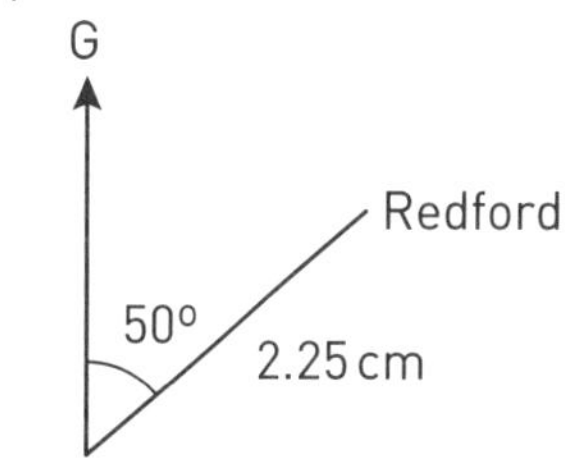


**3** 8 ochr

**4 a** 6820 o gylchdroeon i 3 ffigur ystyrlon

**b** 11.25 km/awr

**5** Arwynebedd A: $19.5\,cm^2$
Arwynebedd B: $42\,cm^2$
Arwynebedd C: $9\,cm^2$

**6 a** Lluniad wrth raddfa

**b** $22.2\,m^2$ i 3 ffigur ystyrlon

## Lluniadau â chwmpas ac â phren mesur ac onglydd (tudalen 44)

**1 a** Triongl ongl sgwâr wedi'i lunio'n fanwl gywir

**b** Hanerydd ongl yn A wedi'i lunio'n fanwl gywir

**c** BX ≈ 3.5 cm

**2** Lluniad manwl gywir o'r triongl XYZ fel bod XY = 9 cm, YZ = 6.5 cm ac XZ = 7 cm.

**3 a** Hanerydd perpendicwlar y llinell PQ, (PX = XQ = 4.5 cm)

**b** SX wedi'i luniadu = 5.7 cm  **c** SPQ = 52°

### Trawsfudo, adlewyrchu a chylchdroi (tudalen 46)

1 $x = -y$

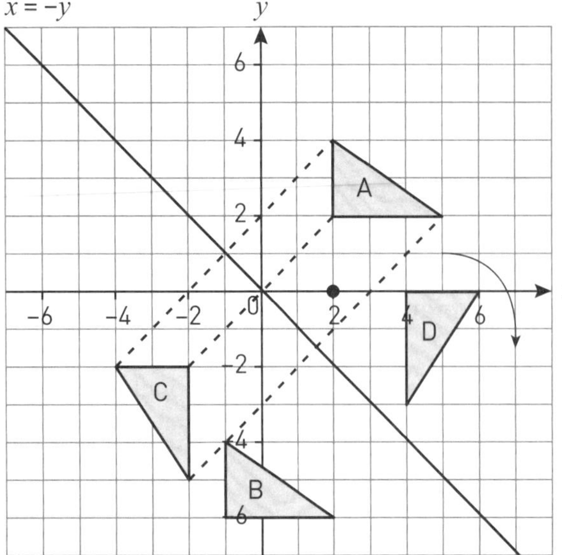


### Helaethu (tudalen 48)

1 Helaethiad, ffactor graddfa 2, canol yr helaethiad (1, 5)

2

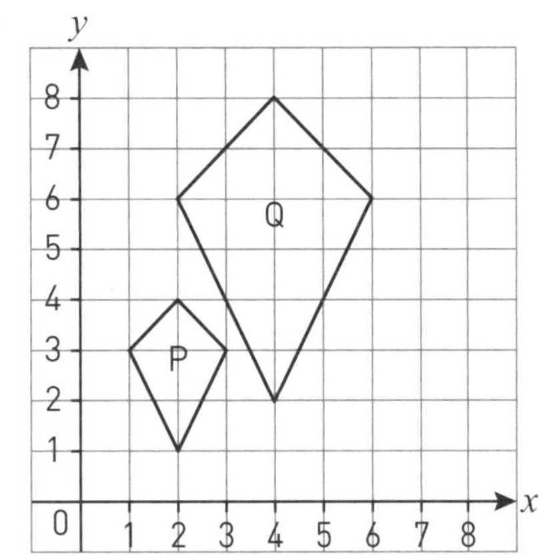


### Darganfod canolau cylchdro (tudalen 50)

1 **a** (–2,0)

**b** Cylchdro 90° yn wrthglocwedd o amgylch (–2, 0)

### Deall rhwydi a chynrychioliadau 2D o siapiau 3D (tudalen 51)

1

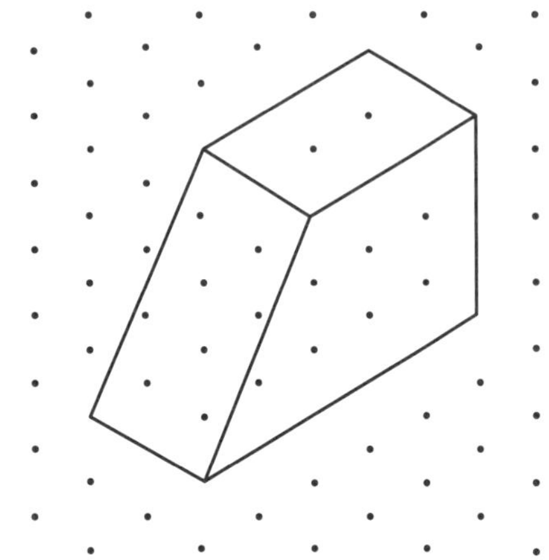

2 Lluniad manwl gywir o'r rhwyd sydd i'w gweld isod

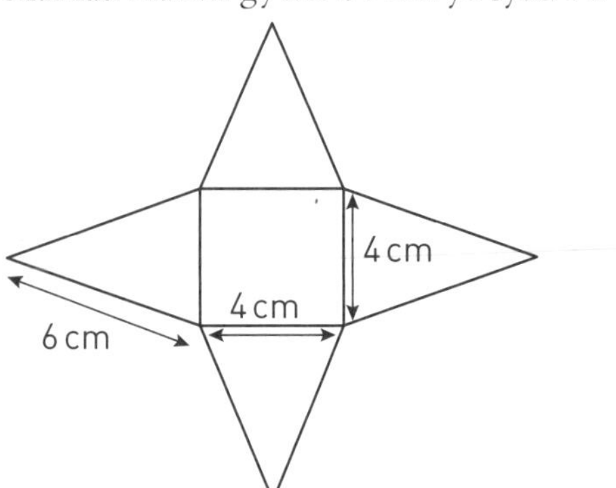


### Cyfaint ac arwynebedd arwyneb ciwboidau a phrismau (tudalen 52)

1 24 cm × 2 cm × 2 cm. 4 cm × 4 cm × 6 cm.
4 cm × 12 cm × 2 cm. 2 cm × 8 cm × 6 cm.

### Cwestiynau dull arholiad cymysg (tudalen 53)

1 **a** Lluniad manwl gywir **b** 51°

2

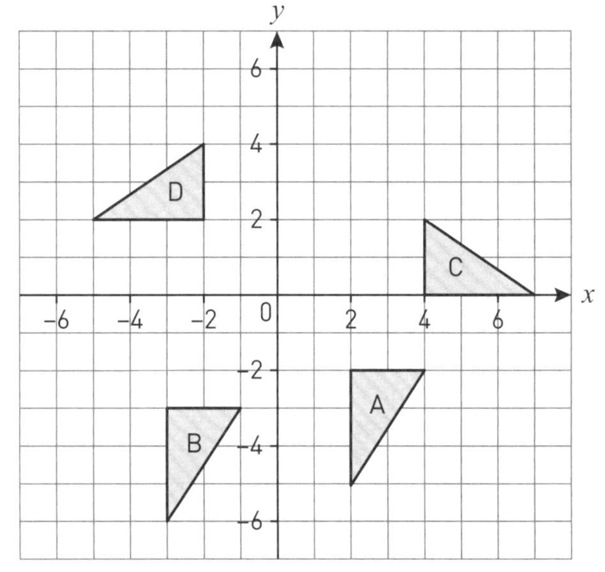


3 cylchdro 180° o amgylch (0, 1)

## Ystadegaeth a Thebygolrwydd

### Gwiriad cyn adolygu (tudalen 54)

1 **a** 2 **b** 2.45

2 **a**

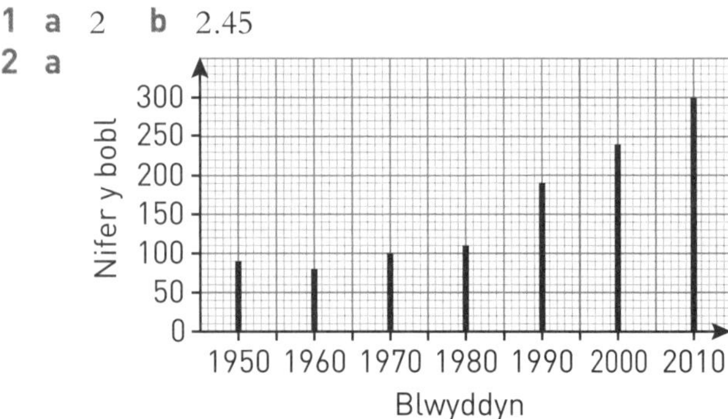


**b** 72.7%

**c** yn cynyddu

**3** 120°

**4 a**

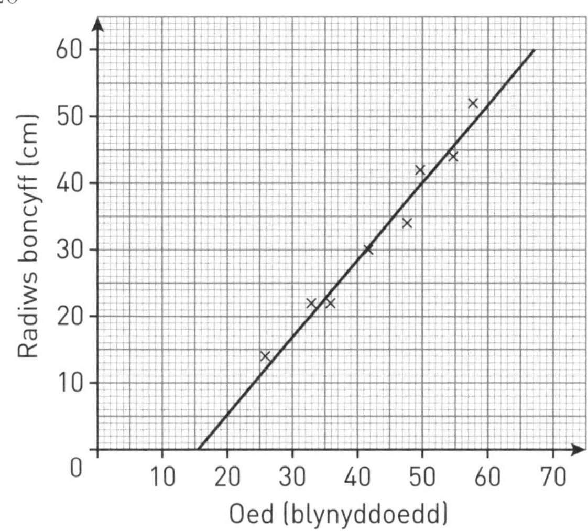


**b** Cydberthyniad positif, oherwydd yr hynaf yw'r goeden, mwyaf i gyd yw'r radiws boncyff

**c i** 55 – 65 cm

**ii** Ddim yn ddibynadwy – allosodiad, neu Gallai fod yn ddibynadwy gan nad yw mor bell â hynny o'r gwerthoedd data gwreiddiol

**5** Er enghraifft, gofyn i fyfyrwyr yn y llyfrgell beth yw eu rhyw a'u hoed.
Gallai holiadur ofyn:
Beth yw eich rhyw? Bachgen ☐ Merch ☐
Beth yw eich oed?

| | |
|---|---|
| Dan 11 | ☐ |
| 11 i 12 oed | ☐ |
| 13 i 14 oed | ☐ |
| 15 i 16 oed | ☐ |
| Dros 16 | ☐ |

**6 a** $\frac{3}{7}$ **b** $\frac{5}{7}$

**7 a** $\frac{3}{12}$ **b** $\frac{4}{12}$

**8 a** $\frac{3}{20}$

**b** Naill ai 'ydy, oherwydd dylai'r amlderau fod yn hafal yn fras' neu 'nac ydy, dim digon o droeon i lunio casgliad a yw hyn yn gywir'.

## Defnyddio tablau amlder (tudalen 57)

**1 a** 1
**b** 2
**c** 2.2
**ch** 4

**2 a** 1
**b** 1
**c** 1.2
**ch** 3

## Siartiau llinell fertigol (tudalen 58)

**1 a**

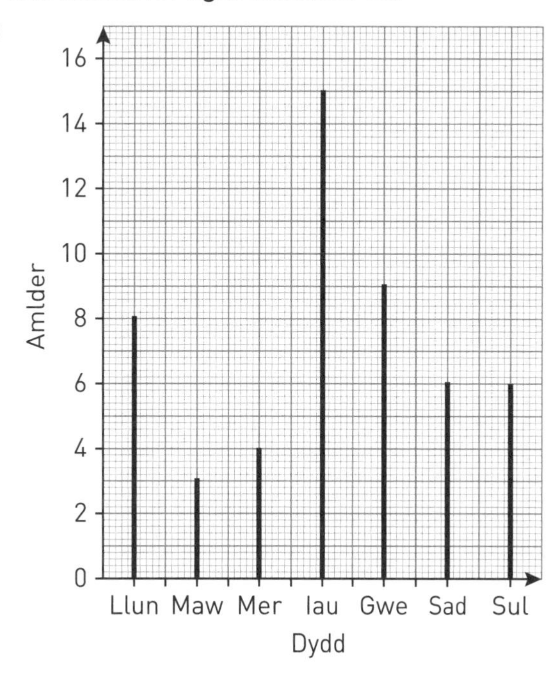


**b** Roedd hi'n bwrw glaw **c** £305.49

**2 a**

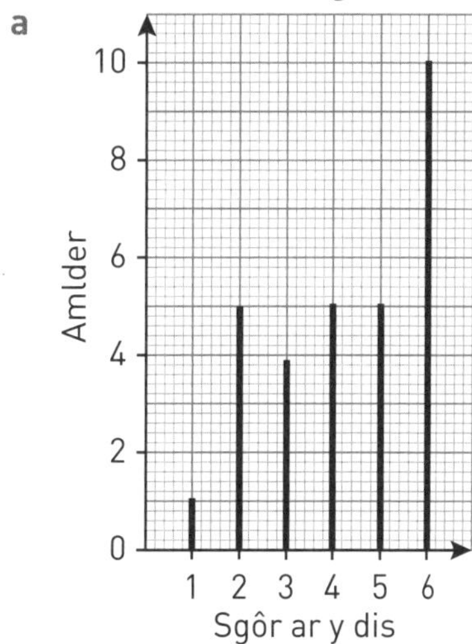


**b** Ydw, gan fod llawer mwy o 6au na rhifau eraill NEU Alla' i ddim dweud gan fod angen mwy o dafliadau

## Siartiau cylch (tudalen 59)

**1** Te: 60°, coffi: 40°, sudd: 135°, cola: 125°

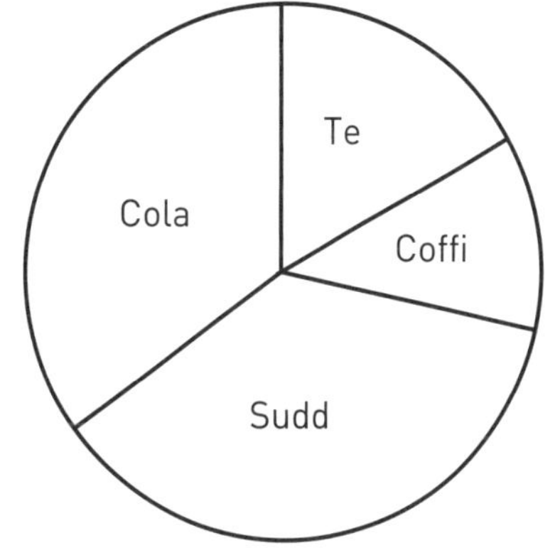


**2** 1260 gram

## Diagramau gwasgariad a defnyddio llinellau ffit orau (tudalen 61)

**a**

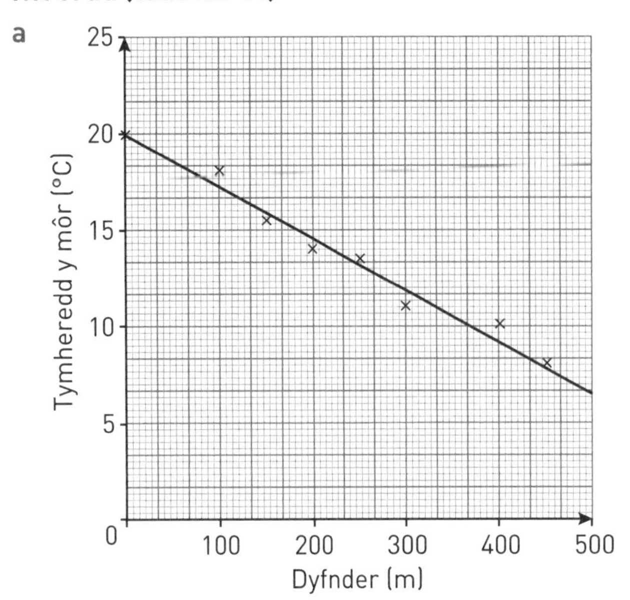


**b** Cydberthyniad negatif; wrth i'r dyfnder gynyddu, mae tymheredd y môr yn gostwng

**c i** 10.5°C. Rhyngosodiad, felly yn ddibynadwy (ond gall swm bach o ddata wneud hyn yn annibynadwy)

**ii** 750 metr. Allosodiad, felly yn annibynadwy

## Cwestiynau dull arholiad cymysg (tudalen 62)

**1 a** 5, 14, 10, 7, 4

**b i** 1 **ii** 2 **iii** 1.775

**c** e.e. cymedr, gan ei fod yn cynnwys yr holl ddata

**2 a i**

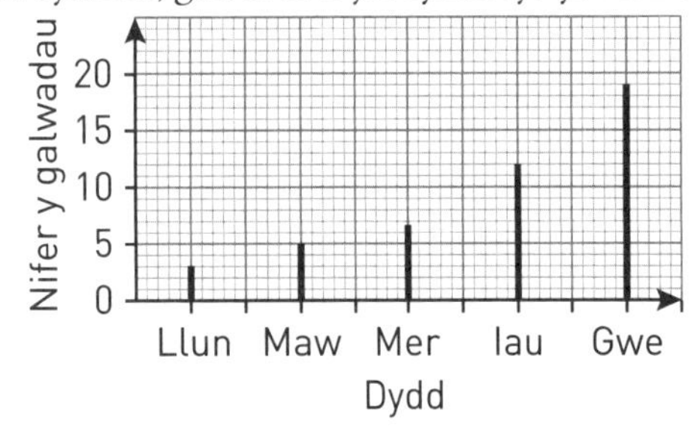


**ii** Llun: 24°, Maw: 40°, Mer: 56°, Iau: 96°, Gwe: 144°

**b** Siart llinell, oherwydd ei fod yn dangos amlderau NEU Siart cylch, oherwydd ei fod yn dangos cyfrannau.

**3** Siart cylch: onglau Ennill 216°, Colli 90°, Cyfartal 54°; pob sector wedi'i labelu'n briodol 'Ennill', 'Colli' neu 'Cyfartal'.

**4 a**

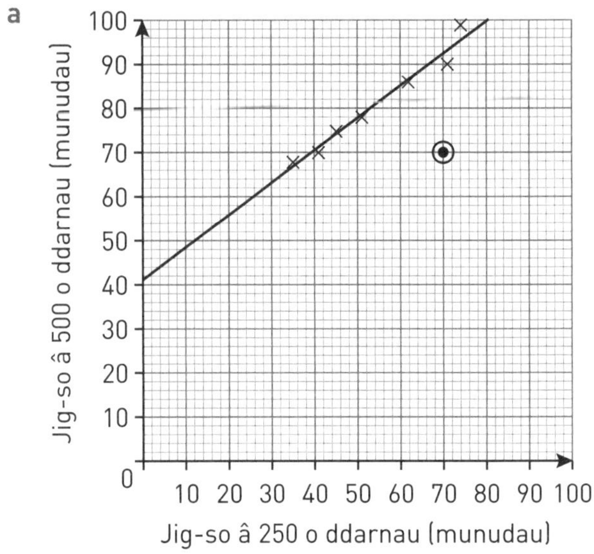


**b** (70, 70). Nid yw'n cyd-fynd â phatrwm y data eraill.

**c** Cydberthyniad positif. Y mwyaf o amser sydd wedi'i gymryd i wneud y jig-so â 250 o ddarnau, mwyaf i gyd o amser sydd wedi'i gymryd i wneud y jig-so â 500 o ddarnau.

**ch i** 82–84 munud

**ii** Yn ddibynadwy ar gyfer y data oherwydd rhyngosodiad, ond efallai nad yw'n ddibynadwy yn gyffredinol oherwydd sampl bach o fyfyrwyr

## Llunio holiaduron (tudalen 64)

**1** Er enghraifft, gofyn i fyfyrwyr yn y lle chwarae beth yw eu rhywedd a'u hoed. Gallai holiadur ofyn:

Pa rywedd? Bachgen ☐ Merch ☐

Beth yw eich oed?

0 i 2 oed ☐

3 i 5 oed ☐

6 i 8 oed ☐

9 i 11 oed ☐

12 oed neu'n hŷn ☐

## Tebygolrwydd digwyddiad sengl (tudalen 65)

**1 a** $\frac{3}{10}$ **b** $\frac{7}{10}$ **c** 0

**2** 35% neu 0.35 neu $\frac{7}{20}$

**3** $\frac{4}{7}$ **4** 28

## Digwyddiadau cyfunol (tudalen 66)

**1** $\frac{17}{24}$ **2** $\frac{2}{19}$

## Amcangyfrif tebygolrwydd (tudalen 67)

**1 a** $\frac{14}{20}$ **b** 90 **2** $\frac{29}{60}$

### Cwestiynau dull arholiad cymysg (tudalen 68)

1 $\frac{3}{10}$

2 0.15

3 3065

4 **a** $\frac{1}{30}$ **b** $\frac{10}{30}$

5 $\frac{64}{105}$

6 0.032 i 3 lle degol

7 **a** Mae'n cael ei gynnal y tu allan i'r orsaf, felly mae â thuedd tuag at bobl sy'n teithio ar drên.

**b** Cwestiwn 1: gorgyffwrdd ar gyfer 30 oed. Gwella drwy newid y cwestiwn i Dan 16, 16 i 29, 30 i 40, dros 40.
Cwestiwn 2: cwestiwn amwys, nid yw'n rhoi syniad o faint o weithiau, nac yn ystod pa gyfnod o amser, nac a yw'n sengl neu'n ddwyffordd. Ystyried blychau dewis gyda nifer y teithiau dwyffordd yn ystod mis o 0 i 2, 3 i 5, 6 i 8, 9 neu fwy.